KB104959

창업부터 운영까지, 준비되셨나요?

발 행 | 2024년 02월 07일

저 자 | 남수연

펴낸이 | 한건희

펴낸곳 | 주식회사 부크크

출판사등록 | 2014.07.15.(제2014-16호)

주 소 | 서울특별시 금천구 가산디지털1로 119 SK트윈타워 A동 305호

전 화 | 1670-8316

이메일 | info@bookk.co.kr

ISBN | 979-11-410-7051-9

www.bookk.co.kr

ⓒ 남수연. 2024

본 책은 저작자의 지적 재산으로서 무단 전재와 복제를 금합니다.

창업부터 운영까지,
준비되셨나요?

남수연 지음

CONTENT

프롤로그

 컨설팅, 멘토링을 하면서 사업에 대한 이론과 현장에서의 경험이 매우 중요하다는 생각이 든다. 우리가 책에서 배울 수 있는 여러 가지 지식도 있지만 시장, 트렌드, 고객 변화의 폭이 큰 경우, 적용할 수 있는 지식과 이론의 한계도 있다는 것을 실감했다.

 다양한 업종, 아이템 및 서비스를 운영하는 대표님들을 만나면서 어떤 부분에 도움이 될 수 있는지 항상 깊이 고민해본다. 시중에는 탄탄한 이론과 지식에 기반한 책들과 지침서가 많지만, 실질적으로 대표님들이 바로 이해하고 쉽게 적용할 수 있는 책이 필요하다고 보았다.

 많은 고민과 생각 끝에 창업과 사업의 여러 사례를 짧은 단편 에세이식으로 이해하기 쉽게 풀어보자는 생각에 이르렀다. 키워드와 핵심 단문 중심으로 창업, 사업 사례를 함께 제공한다면 재미있고 부담 없이 읽을 수 있다는 결론을 도출하게 되었다.

이 책은 어렵고 난해한 이론이나 논리가 아닌 실제 현장에서 직접 보고 느끼면서 경험한 상황과 사례를 바탕으로 구성했다. 다양한 사례를 통해 내가 생각한 방법과 제안도 같이 포함해 방향성을 제시하기도 했다.

무엇보다 어렵지 않고 읽기 쉬워 각자가 처한 상황과 문제점을 보고 해결 방안을 효과적으로 적용할 수 있도록 한 점이 이 책의 특징이자 장점이라고 할 수 있다.

현장에서 혹은 사업을 준비하면서 접할 수 있는 어려움과 문제를 푸는 데 조금이나마 도움이 되길 바란다. 이번 책을 만드는 데 도움과 용기를 준 가족들을 비롯해 많은 영감과 영향을 준 모든 분에게 감사의 마음을 전한다.

제1장 제대로 하고 있나요

몸은 힘든데, 돈이 안 되네요

 컨설팅을 통해 다양한 분야의 대표님들을 만나왔다. 그런데 공통적으로 하시는 이야기가 "나는 정말 열심히 일하는 데 매출도 계속 떨어지고 가져갈 수 있는 돈이 거의 없어 너무 힘들다"라는 것이다. 나는 아침부터 저녁까지 열심히 내 사업을, 내 매장을 위해 일하고 있는데 왜 돈을 벌 수 없는지 모르겠다는 것이다. 분명, 매출이 안 오르는 데는 여러 가지 이유가 존재한다.

 국내 경기가 안 좋을 수도 있고, 전반적으로 세계 경기가 어려운 원인도 있으며, 정부 정책의 변화도 이유가 될 수 있다. 최근에는 일부 업종과 아이템은 코로나 이후로 소비자들의 국내 소비가 줄어 타격을 입었다는 뉴스도 있었다. 이런 외부적인 이유는 내가 상황을 바꿀 수 있는 요인이 아닌 경우가 많다. 내가 바꿀 수 없는 환경에 대한 의문보다는 내가 바꿀 수 있는 부분에 대해 더 관심을 갖는 것이 중요하다.

매출과 수익이 정체 상태라면 내가 운영하는 사업과 아이템에 대한 분석을 가장 먼저 선행해야 한다. 컨설팅한 대표님의 경우, 가방, 액세서리 소품을 온라인에서 판매했다. 매출은 있으나 수익은 거의 노력 봉사 수준이었다. 온라인에서 판매되는 가방, 명함 지갑의 경우, 색상이 너무 많아 보였다. 팔리는 색상은 2~3개이지만, 보여주는 색상은 약 10가지 이상이었다. 이럴 경우, 재료비와 인건비 비중이 높을 수 있다. 안 팔리는 색상은 과감히 빼고, 팔리는 제품 위주로 생산하는 것이 바람직하다.

내가 멘토링했던 음식점의 경우도 위의 사례와 매우 유사했다. 1인 매장인데, 제공하는 메뉴가 약 10가지가 넘는 매장이었다. 전혀 효율적이지 않고, 여러 가지 메뉴를 준비해야 하기 때문에 재료비 부담도 커진다. 이럴 경우, 대표 메뉴 위주로 단순화하고 조리 방법이 비교적 쉬운 메뉴로 구성해야 한다.

몸은 힘든 데, 매출과 수익이 정체 혹은 감소 상황이라면, 효율성이라는 부분을 정확히 분석하기 바란다. 내가 무엇을 놓치고 있는지, 어떤 과정이 혹은 아이템이 비용 증가와 효율성 저하를 발생시키는지 확인해 봐야 한다.

매일의 일과 준비되셨나요

 자영업과 직장인의 일상은 매일이 거의 비슷하다고 볼 수 있다. 고객을 맞기 위해, 직장의 목표를 위해, 언제나 완벽한 준비가 되어야 한다. 차이점은 직장인과 달리 자영업은 내 얼굴을 대표하는 사업이기 때문에 더 절실하고 책임을 갖고 임한다는 것이다.

 사업장을 방문하게 되는 경우가 많다. 오픈 시간 전에 혹은 브레이크 시간에 방문한다. 매장 오픈 전, 준비 시간에 방문했는데, 무언가 준비가 안 되어 있는 매장을 가끔 접하게 된다. 내가 고객이라면 오픈 준비가 되지 않은 매장은 다시 방문하지 않을 것 같다는 생각이 들었다.

 단정하지 못한 머리, 준비되지 않은 옷차림, 정리되지 않은 테이블, 깨끗하지 않은 앞치마와 신발은 고객이 매장을 다시 찾지 않게 하는 요인들이다. 물론 매장 운영에 바빠서, 일하는 직원이 없어서와 같이 여러 가지 이유가 있을 수 있다. 하지만 이런 환경과 이유로 인해 고객의 재방문 확률은 매우 낮아질 수밖에 없다.

 컨설팅을 위해 방문한 네일숍의 경우, 오픈 시간인 데도 매장은 청소가 되어 있지 않았고, 재료 박스나 소품들이 지저분하게 방치되어 있었다. 여성 고객이 많은 네일숍 특성상, 내가 고객이라면 그 매장을 다시 방문할 가능성은 제로이다. 만약 상담을 위해 방문한 고객이라면 매장 환경을 보고 방문 계획을 취소할 가능성이 높다. 매장을 보고 매출과 수익이 높지 않을 거라고 예상했는데, 상담을 해보니 상황이 더 안 좋았다. 사장님은 내부 인테리어를 계획하고 계셨다. 아마도 매출이 안 오르는 이유가 인테리어 문제라고 생각했던 것 같다. 사장님께 인테리어 공사 전에 매장 정리와 청소를 하는 것을 제안했다. 정리 정돈과 청소를 통해 매장 환경 개선 효과가 있을 것으로 보였다.

 최근에는 정리 정돈을 전문으로 해주는 업체나 전문가가 있다. 소상공인의 경우 매장의 협소함 때문에 비품과 재료를 쌓아두는 경우가 많다. 이런 상황이라면 전문가에게 공간 활용 컨설팅을 받는 것도 추천한다. 매장 오픈 전에 나의 매장이 완벽하게 준비되었는지 점검하길 바란다. 고객은 허둥지둥한 모습을 보고 싶지 않다는 것을 명심하기 바란다.

동업, 서로 윈윈(Win-Win)하고 있나요

얼마 전, 샐러드를 주메뉴로 운영하는 매장을 방문한 적이 있다. 사장님과 사업 현황에 대해 이야기를 나누면서 현재 동업 형태로 매장을 운영하고 있다는 말을 들었다. 초기에는 동업을 통해 재무적인 부분과 운영적인 부분에 도움을 많이 받을 거라고 기대했는데, 도리어 사업 운영이 더 힘들다고 하셨다.

동업자와의 스타일이 잘 안 맞아 매장을 운영하는데 어렵다고 하셨다. 사업관계가 아닌 개인적으로는 만났을 때는 스타일과 성격이 비교적 잘 맞아서 호기롭게 동업을 결정하셨다고 한다. 하지만 매장을 운영하면서 사업 운영 스타일은 정반대인 것을 알게 되었고, 이런 차이점들이 갈등을 일으키고 사업에 영향을 미치고 있다고 했다.

동업하는 분과 매장 운영을 위해 업무를 구분했는데, 이 또한 원활하게 진행되지 않아, 이런 식으로 계속 동업을 유지해야 하는지 고민이 된다고 하셨다. 대표님은 조리에 전문성이 있어 음식 메뉴 조리를 맡고 있고, 동업하는 사장님이 홀 서빙과 마케팅을 담당하는데, 고객을 대하는 서비스 경험과 노하우가 없어 고객 불만이 많다는 것이다.

동업, 잘 되면 시너지가 나고 사업 운영에 큰 도움이 되기도 한다. 내가 아는 분은 공방을 운영하는데, 동업 형태로 운영하고 있다. 한 분은 주로 교육과 교구 제작 담당, 다른 한 분은 영업과 마케팅으로 업무 구분을 해서 운영한다. 각자의 경험과 전문성을 기반으로 사업 운영을 하기 때문에 비교적 순조롭게 안정적인 매출을 내고 있다. 동업하기 전에 상대방이 어떤 강점과 전문성이 있는지와 내가 가진 경험과 어떻게 잘 매칭이 되는지 확인해 보고 시작하는 것을 권한다. 단순히 개인적으로 친하거나 오랫동안 알고 있다고 해서 상대방을 잘 안다고 생각하면 안 된다. 사업으로 혹은 업무로 같이 일할 경우, 강점과 장점의 시너지가 있어야 한다.

보완, 협력은 사업의 기본

　1인 스타트업, 자영업으로 처음 창업을 하는 경우가 많다. 초기에는 사업성이나 자본이 없어 제대로 인력을 채용해서 운영하기가 어렵기 때문이다. 혼자 운영하기 때문에 어려움이 따르기도 한다. 규모가 커지고 일의 분업화가 필요한 시기, 내가 갖고 있지 않은 전문성을 필요로 할 때가 있다. 업무의 전문성이 점점 명확해져서 다른 사람과 일을 나누어서 해야 할 때도 있다.

　외식업을 예로 들면, 부모님과 같이 운영하는 것을 많이 볼 수 있다. 어머님이 요리를 담당하고, 자녀가 홀과 매장 마케팅, 고객 관리를 하기도 한다. 장모님과 사위가 같이 일하는 사례도 접한 일이 있다. 최근에 방문한 매장은 자매가 같이 사업을 운영하고 있는데, 두 분의 스타일과 성향이 다르지만 서로의 단점을 보완해 주어 잘 운영하고 계셨다.

사업을 가족 형태로 혹은 파트너로 운영할 경우, 업무의 영역을 확실하게 해서 운영하는 것이 중요하다. 상대방의 전문성을 인정해 주고, 의견을 듣는 자세가 필요하다. 경험이 많은 가족 구성원이나 파트너와 일할 때, 갈등이 생길 여지가 많다. 서로의 차이점을 인정하고 전문성을 위주로 일을 해 나가는 것이 사업을 할 때 필수적이다. 가까운 사이이거나 오랫동안 같이 일한 파트너나 동료일지라도 업무적인 사항과 개인적인 감정을 구분하는 것이 매우 중요하다.

파트너나 동료, 동업 관계일 때, 일보다도 감정적인 말이나 태도 때문에 갈등이 생기고 그런 부분들이 사업에 많은 영향을 끼치기 때문이다. 갈등이 생기면 회피하지 말고, 대화와 다양한 방법을 통해 해결하는 노력이 필요하다.

지원사업,
그냥 하는 게 아니라 제대로 하세요

 정부의 소상공인, 1인기업, 스타트업에 대한 지원사업이 다양해지고 있다. 과거에 비해 지원사업이 구체적이고 더 세분화되어 신청자가 필요로 하는 부분에 도움이 되는 방향으로 가고 있다. 컨설팅을 통해 지원사업의 규모, 조건, 필수 사항, 결과물에 대해 설명드린다. 대다수 대표님이 정부 혹은 공공기관 지원사업 대상이 되었다는 것을 감사하게 생각하고, 사업에 도움이 되는 방향으로 지원금을 사용한다.

 하지만, 가끔 이런 경우도 접하게 된다. 지원사업의 성격, 조건, 방향, 효과에 대해 구체적으로 확인하지 않고 신청하는 것이다. 막상 지원 대상이 되고 난 후에는 어디에, 어떻게 지원 금액을 활용해야 하는지 계획이 없을 때도 있다. 정부 지원사업을 통해 사업에 어떤 도움이 될지 구체적으로 생각하지 않고 일정과 지원 기관의 요청에 수동적으로 따르는 일도 있다.

내 사업에서 꼭 필요로 하는 지원사업에 신청하고 기관에서 제공하는 규모, 조건, 성격, 효과를 정확하게 확인하고 지원 금을 활용해야 한다. 내가 준비되지 않은 상태에서 지원금을 받고 꼭 필요한 곳에 쓰지 않다 보니, 나중에 효과를 확인했 을 때, 본인 사업에 크게 도움이 되지 않았다는 이야기를 듣 게 된다.

인터넷을 통해 의류를 판매하는 대표님은 여러 가지 홍보 채널 중에서 특정 채널의 광고로 지원금액을 사용하겠다고 했다. 대표님의 경험을 통해 어떤 채널이 효과적이라는 것을 알고 있었고, 지원사업이 대표님이 원하는 채널의 마케팅을 지원한다는 것을 확인한 후, 신청했다고 하셨다. 추후 확인해 보니, 지원사업으로 높은 매출 증가 효과가 있었다.

지원사업 컨설팅 때문에 만났던 다른 대표님은 내가 왜 이 지원을 받아야 하는지, 그리고 목표로 하는 사업 효과는 무 엇이 있는지 매우 구체적으로 계획을 세우고 있었다. 컨설팅 하면서 이런 분이라면 지원사업의 성과가 분명 좋을 것이라 는 느낌을 받았다. 역시 결과도 예상한 대로 매우 만족스러 웠다.

전문가가 아니면 과감하게 위임하라

얼마 전, 오토바이 관련 장비, 부품, 소품을 판매하는 매장을 방문할 기회가 있었다. 최근 오토바이 마니아층이 증가하고 있어 매출이 다른 업종에 비해 좋을 것으로 기대했는데, 의외로 매출이 정체 중이었다. 예전에는 고객들이 직접 매장을 방문해서 구매를 많이 했는데, 최근에는 온라인을 통한 구매를 많이 한다고 했다. 본인도 온라인 판매 채널을 운영하고 있지만 매출은 높지 않다고 하셨다.

오프라인 매장 운영과 비교했을 때, 온라인 판매 사이트 상세 페이지는 운영이 원활하게 되고 있지 않았다. 이유는 온라인 판매 상세 페이지 구성이나 사진 촬영에 대한 경험이 없어 온라인 사이트를 원활하게 운영하지 못한 것이었다. 반면 비슷한 시기에 시작한 다른 경쟁 매장은 온라인 판매가 순조롭게 진행되고 있었다. 경쟁 매장은 전문가를 활용해서 온라인 상세 페이지를 구성하고 제품 사진과 영상도 소비자의 눈높이에 맞춰 구성되어 있었다. 당연히 소비자는 경쟁 매장 온라인 사이트를 방문할 것이다.

아쉬웠던 점은 좀 더 일찍 사장님이 전문가나 업체를 활용해 온라인 판매 사이트를 구성했으면 매출을 어느 정도 유지할 수 있었지 않았을까 하는 것이었다. 종종 사장님들이 내가 배워서, 혹은 내가 아는 가까운 지인한테 요청해서 일부 업무를 진행하는 때가 있다. 이럴 경우, 내가 목표로 하는 결과물의 수준에 미치지 못하는 일이 많다. 위의 사례로 든 사장님도 아는 후배에게 상세 페이지 구성을 요청했는데, 결과물이 만족스럽지 않았다고 하셨다. 내가 할 수 없는 일은 과감하게 전문가의 도움을 받아 하는 것을 추천한다.

예술이 아닌 사업입니다

 공방을 방문해, 다양한 재능을 가진 대표님들을 많이 만난다. 예술적으로 뛰어난 실력을 가진 대표님들을 볼 때마다 대단하다는 느낌을 받는다. 지역에 있는 다양한 공방을 방문할 기회를 갖게 되었다. 소품과 액세서리, 캔들 등 창의적인 작품을 통해 소비자와 소통하는 사장님들을 뵙게 되었다. 창작을 통해 만든 작품들은 창의적이고 독특한 예술 작품이다. 단, 예술 작품이 작품으로만 끝나면 안 된다. 작품 판매, 창작 활동, 클래스 운영 등 다양한 방법으로 매출을 올려야 한다. 작품은 좋은데, 고객이 선뜻 손이 가지 않은 작품이 있다. 작가의 세계관, 예술관이 드러나는 작품이 고객들의 사랑을 받는다면 좋은 일이지만, 그렇지 않은 경우도 많기 때문이다

 내 작품이 창의적이고 독특한데 왜 팔리지 않는지 모르겠다고 하는 대표님도 있다. 그럴 때 내가 정말 물어보고 싶은

것은 혹시 대표님이 사업을 너무 예술적으로 접근하고 있는 것은 아닌지이다. 고객이 원하는 것이 아닌 나의 작품 세계와 예술관을 너무 드러낸 것은 아닌지 한번 확인해 볼 필요가 있다. 내 작품이 예술적으로 뛰어나고 고객의 사랑을 받아 판매도 잘 된다면 가장 좋다. 하지만 그렇지 않은 경우, 내 작품과 고객의 눈높이를 점검하고 균형을 맞출 필요가 있다. 작품도 누군가 구입하는 고객이 존재해야만 진정으로 빛을 볼 수 있다.

예술가 타입의 창업자인 경우, 어떻게 매출을 올릴 수 있는지를 고민해야 한다. 단순히 예술적인 면만 뛰어나다고 판매가 되지 않는다. 나의 작품 세계가 차별화되어 있다면 소셜 미디어 활동을 통해 내 작품을 알리고, 나의 예술 세계에 대해 고객과 소통하려는 노력을 지속적으로 해야 한다. 최근에는 홍보, 소통 채널이 있기 때문에 충분히 가능하다고 본다.

직원을 파트너로 대하라

 사업을 하면서 가장 힘든 점 중의 하나가 직원 채용과 직원 관리일 것이다. 사업은 혼자서 할 수 없기 때문에 직원은 사업 운영에 핵심 요소이다. 직원과의 관계가 사업에 직접적으로 영향을 끼치기 때문에 어려운 일이기도 하다.

 얼마 전 돈가스 전문점을 운영하는 사장님을 방문한 적이 있다. 아르바이트생 포함 직원들의 평균 재직 기간이 길고 사장님이 계시지 않아도 매장이 문제없이 잘 운영되고 있었다. 그 이유를 물어보니, 사장님이 직원들을 단순히 고용인이 아니라 파트너로 대하고 있고, 추후 같이 일하는 직원들이 지점을 낼 때 지점을 맡을 수 있게 하고 있다는 얘기를 들었다. 사장님이 직원의 복지에 관심을 가지고 직원들이 원하는 사항들을 적정하게 반영하고 있다고 보였다. 코로나 시기에도 매출이 비교적 안정적으로 유지됐다고 하는 이유가 무엇인지 알게 되었다. 현재 매장이 직원들 덕분에 성공적으로 운영되고 있어 2, 3호점 오픈도 고려하고 있다고 했다.

최근에 방문한 다른 매장의 경우, 젊은 직원들의 비중이 매우 많아서 인상적이었다. 매장의 특성상, 큰 규모는 아니지만, 직원들이 열심히 일하고 있었고, 사장님도 직원들과 수시로 소통하고 있었다. 직원들이 즐겁게 일하니, 생산성도 당연히 높을 수밖에 없었다.

사장님이 모든 일을 다 할 수 없기 때문에 충성도 높은 직원들을 확보하는 게 좋다. 직원을 단순히 고용인이 아니라, 사업을 같이 운영하는 파트너로서 간주하고 긴밀히 협력해야 한다.

내가 관리할 수 있는 범위 내에서

 사업이 안정화되고 매출이 증가하게 되면 대표님들이 체인점을 고려하게 된다. 사업 확장성을 염두에 두고 안정적인 경영을 위해 프랜차이즈화를 목표로 한다. 직영점과 체인점을 두는 것은 단순히 매장 운영 외에도 브랜드화가 된다는 것을 의미한다.

 체인점은 고객에게 본점과 같은 레시피와 서비스를 동일하게 제공해야 한다는 것을 의미한다. 만약 체인점을 한다면 초기에는 사장님이 잘 확인할 수 있는 지역에서 매장을 오픈하는 것을 제안한다. 체인점이 초기에 너무 멀리 있다 보면 제대로 운영되는지 알기 어려워 매장의 이미지에 나쁜 영향을 끼칠 수 있다.

 체인점을 운영하게 되면 매장의 이미지와 콘셉트를 통일화하는 브랜딩을 지속적으로 해야 한다. 음식 레시피와 운영도 시스템화해서 효율적으로 가져가야 한다. 체인점을 초기에 운영할 경우, 브랜딩과 시스템화를 효과적으로 어떻게 확립해야 하는지 시간을 가지고 계획을 세워야 한다. 육회 전문 매장을 운영하는 사장님은 본점에서 비교적 가까운 곳에 2곳의 매장을 오픈해서 운영 중이다. 근접하게 있어 수시로 방문해 매장 환경과 운영을 모니터링할 수 있어 효율적이라고 했다.

최근에 만난 족발 전문점 사장님은 사업을 비교적 안정적으로 운영하고 있어, 2호점을 고려하고 있다. 인근에 매장을 오픈할 계획인데, 고객이 겹치지 않게 새로운 콘셉트의 매장을 계획하고 있다고 했다.

주의 깊게 듣고 정확하게 실천하기

 컨설팅, 멘토링을 통해 대표님들을 만나서 사업 현황, 문제점, 앞으로의 계획을 같이 고민할 때가 많다. 나의 분석과 제안을 적극적으로 받아들이고 대표님이 실천할 의지가 강한 경우, 더 열심히 도움을 드리기 위해 노력한다. 전문가의 제안을 신뢰하고 믿기 때문에 나 또한 도움이 될 수 있게 최선을 다한다.

 사업이 안되고 매출이 감소하는 상황에서 제3자의 시각 혹은 전문가의 분석이 필요한 경우가 많다. 정부와 공공기관에서 제공하는 사업을 통해 대표님들이 컨설팅과 멘토링을 받을 수 있는 기회가 많다. 물론 전문가의 조언이나 분석이 100% 다 정확하지는 않지만, 사업을 하면서 발견하지 못한 문제점을 발견하기도 한다.

 변화하려는 의지와 실천하려는 자세가 있는 대표님이라면, 전문가의 조언과 해결 방안을 적극적으로 받아들여 실행한다. 실행 결과를 전문가와 정기적으로 공유해, 같이 개선할 수 있는 다양한 방법을 찾는다. 결과적으로 긍정적인 경영개선 효과를 낳는다.

좋은 전문가들의 멘토링을 통해 큰 도움을 받은 대표님이 있었다. 식물성 대체식품을 판매하는 대표님으로 멘토의 조언과 아이디어로 새로운 마케팅 방법과 유통 채널 발굴에 많은 도움을 받았다고 한다. 미처 생각하지 못한 아이디어와 정보를 제공해 줘 사업 확장의 계기가 되었다고 했다.

다양한 지원사업을 통해 전문가의 도움을 받을 때, 사업의 현황과 문제점을 전문가와 공유해서 정확한 진단과 조언, 도움을 받는 것을 제안한다.

제2장 얼마나 다른가요

강점을 활용하세요

 얼마 전, 컨설팅 업무로 당구장을 방문할 기회가 있었다. 최근에 당구장은 레저 스포츠로 가족 단위, 연인과 함께 방문해 즐기는 경우가 많다. 아마도 예전 당구장의 이미지를 생각한다면 선입견이라고 할 수 있다. 당구장의 환경도 매우 깨끗하고 넓어 쾌적하게 당구를 즐길 수 있겠다 싶었다.

 상담하면서 당구를 즐기는 고객들이 많아지고 있다는 얘기를 들었다. 체계적으로 당구를 배우려는 고객도 늘고 있어 이런 쾌적한 환경의 당구장이라면 경쟁력이 있다고 보았다. 사장님이 프로 선수로 활동하고 계시고 오랜 경력이 있어 당구장 운영에 적합했다. 대회에서 수상 경력이 많으셔서 클래스를 열어 수강생을 모집하면 운영에 도움이 될 것으로 보였다.

사장님께 이런 강점을 적극적으로 활용해서 당구 클래스를 여는 것을 제안했다. 당구를 스포츠로, 체계적으로 즐기려는 고객을 위해 좋은 아이디어라고 생각되었다. 마침 사장님도 클래스 운영을 진지하게 고민 중이라고 하셔서 적극적으로 진행하는 것을 제안했다. 연인과 함께, 가족과 함께 오는 경우가 늘고 있어 소셜미디어를 통해 홍보하면 효과가 있을 것이라고 알려드렸다. 사장님이 현재도 현역 선수로 활동 중이기 때문에 충분히 고객의 흥미와 관심을 끌 만했다.

이처럼 사장님 개인이 가진 좋은 장점을 사업 모델과 연결해 사업 확장을 해 나간다면 홍보뿐만 아니라 다른 경쟁 당구장과 차별화할 수 있다.

차별화된 나만의 색깔을 표현할 수 있나요

모자 소품과 액세서리를 판매하는 대표님을 만난 적이 있다. 온라인 판매 사이트에 제품을 판매하고 있는데, 가격과 디자인이 유사한 다양한 제품이 판매되고 있어 경쟁력이 점점 낮아지고 있었다. 이럴 때, 어떻게 나의 제품을 차별화할 것인가가 매우 중요한 포인트다.

온라인은 소비자가 직접 제품을 착용해 볼 수 없어 제품의 정보를 충분히 알고 싶어한다. 고객이 필요로 하는 제품의 핵심 포인트를 잘 정리하여, 구매를 편리하게 해주는 것이 중요하다. 다른 제품에 없는 내 제품의 핵심 강점을 보여주는 것이 차별화라고 할 수 있다. 고객이 필요로 하는 기능과 내 제품이 가진 장점을 잘 매칭시켜 고객의 관심을 끌고 구매로까지 연결하는 것이다.

플라워숍을 운영하는 사장님은 젊은 고객을 위해 고객 맞춤 가격을 제공하는 것을 경쟁력으로 해서 차별화를 하고 있다. 화원을 운영하시는 대표님은 주로 기업 고객이 핵심 고객인데 오랫동안 좋은 관계를 지속해 매출을 올리고 계셨다. 대표님의 경쟁력은 일관된 성실성과 각각의 기업 성격에 맞는 제품과 서비스였다.

차별화와 핵심 경쟁력은 내가 가지고 있는 강점에서 찾는 것을 제안한다. 남들과 똑같이 한다면 그것은 나의 경쟁력이 아니다. 고객이 필요로 하는 것과 내가 가진 경쟁력을 잘 매칭해서 차별화 포인트로 강조하는 것은 홍보의 첫걸음이다.

나만의 비밀병기

우리가 모든 것을 잘할 수는 없지만, 적어도 나만의 필살기 하나는 있다. 예를 들어 어떤 사람은 집중력이 좋아 연구와 개발 업무에 적합하고, 다른 사람은 사람들과 좋은 관계를 맺는 장점이 있어 영업과 마케팅에 적합하다.

내가 방문한 성공한 매장들의 공통점은 그들만의 비밀병기가 있었다. 다른 경쟁 매장과는 선명하게 차별화된 강점이 있고 그 강점을 효과적으로 극대화한다는 점이다.

친절함과 유쾌한 성격의 보쌈 전문점 사장님은 업종에 적합한 성격을 가지고 있어 고객들과 좋은 관계를 맺고 계셨다. 사장님의 비밀병기는 친화력이었다. 사장님의 쾌활한 성격으로 고객의 재방문이 많은 편이었다.

고객 맞춤 플라워 제품으로 안정적인 사업을 운영하고 계신 플라워숍 사장님은 센스가 있으시고, 고객이 필요로 하는 부분을 잘 발견하는 능력을 가지고 계셨다. 고객의 상황을 잘 파악해서 어떻게 하면 만족도를 높일 수 있을까를 항상 고민하셨다.

　다양한 스타일의 원두 판매로 마니아 고객층을 확보한 사장님은 부끄러움을 많이 타서 대면으로 고객과 밀접한 관계를 맺기는 어려웠다. 매장을 통한 대면 서비스보다는 온라인을 통한 판매로 고객 성향을 파악하고 고객 데이터 기반으로 맞춤 제품을 제공해 원두 전문가로서 강점을 잘 살리고 있다.

　적어도 남들이 갖고 있지 않은 사장님 본인의 강점과 필살기를 사업에 녹여내서 경쟁력을 만들어 나가야 한다.

비즈니스 모델 변화가 필요합니다

한국의 출산율이 점점 낮아지고 있어 유치원, 학교에 학생들의 숫자가 점점 줄고 있다. 저출산은 단순히 한국만의 문제가 아니라, 세계적인 추세이기 때문에 글로벌 이슈라고 할 수 있다. 저출산의 영향으로 학교의 학급수가 줄어 폐교하는 학교도 최근 많아지고 있다.

얼마 전, 초등학생, 중학생 대상으로 영어학원을 운영하는 원장님을 만난 적이 있다. 학원을 운영한 지 약 7~8년 정도 되셨는데, 최근에는 학생 수 감소가 피부로 느껴진다고 했다. 이처럼, 학생과 연관이 많은 사업인 경우, 경영과 사업 운영에 많은 영향을 받고 있다.

경쟁은 심해지고, 학생 수 감소는 계속 지속되고 있어, 나의 비즈니스 모델을 정확하게 분석할 필요가 있다. 전통적인 사업 모델을 가지고 운영하기 어려운 시기가 점점 다가오고 있다.

 태권도장의 경우, 학생 수 감소와 다양한 방과 후 활동으로 학생과 부모의 선택지가 많아지면서 운영에 많은 영향을 받고 있었다. 저출산이나 학생 수 감소는 거시적인 사회적 문제이기 때문에 어떻게 대응할지, 사업 모델에 어떤 변화를 주어야 하는지 깊이 있게 분석해야 한다. 내가 사회적 문제를 해결할 수 없다면 내가 변해야 한다.

 봉제와 의류 제조를 하는 사장님은 사업의 확장성을 위해 클래스와 상담 예약을 하는 사이트를 오픈했다. 창업을 준비하는 고객들에게 도움을 주고, 시대의 흐름과 요구에 맞추어 변화하는 좋은 사례라고 할 수 있다.

수상 경력을 100% 활용하라

가끔 컨설팅, 멘토링을 하다 보면 겸손하고 자기 자랑에 서툰 분들을 많이 보게 된다. 좋은 경력과 경험을 갖고 계시지만 이런 장점을 스스로 내세우기를 꺼리는 분들도 있다. 만약 사업을 시작하거나 계획하고 있다면 이런 장점들을 적극적으로 활용해야 한다.

횟집을 운영하는 젊은 대표님은 다양한 요리 대회에 나가 수상을 한 경력이 많았다. 현업에도 많이 바쁜 상황에서 다양한 대회 준비도 하는 것을 보고 대단하다는 생각이 들었다. 현업에만 집중하면 새로운 트렌드나 메뉴에 대해 많은 고민을 안 하게 되기 때문에 대회를 통해 본인도 많은 공부를 한다고 했다. 도전 의식이 있고, 현재의 위치에 안주하지 않으려는 자세가 매우 인상적이었다.

대표님의 수상 경력은 고객에게 좋은 인상을 주기에 충분하다. 항상 노력하는 자세와 요리 대회를 통해 실력을 인정받는 전문가에게 고객은 믿음과 신뢰감을 보내게 된다.

 이런 사장님의 강점을 다양한 마케팅 채널을 통해 알려 매장을 홍보하는 것이 중요하다. 매장을 운영하다 보면 매일 비슷한 메뉴의 홍보, 광고로 콘텐츠 제작 한계에 직면하는 경우가 많다.

 새로운 메뉴 개발이나 레시피 연구, 대회 참여와 수상 등 끊임없이 노력하고 있다는 이야기는 고객에게 관심과 흥미를 불러일으키기에 충분하다. 내가 하고 있는 일을 충실히 하고 있다는 점을 고객에게 보여주고 소통하는 것, 이것이 진정한 마케팅의 시작이다.

판매, 어디까지 준비되셨나요

우리가 사업을 시작하면서 많이 하는 실수가 있다. 내가 매장을 오픈하면 혹은 온라인 판매 사이트에 입점하면 판매가 곧 시작되고 고객이 찾아올 것이라는 착각이다. 최근에는 철저한 준비를 하고 창업을 하는 분들도 많지만, 여전히 준비가 안 된 상황에서 창업하는 사례도 있다.

마사지숍, 네일숍의 경우 여성 고객을 대상으로 하는 경우가 많다. 여성 고객의 경우, 입소문에 의해 방문하는 경우가 많고 다양한 미디어를 통해 확인하고 방문하는 것이 일반적이다.

얼마 전 만났던 대표님은 소셜미디어 활동을 거의 하지 않고 있었다, 심지어 온라인 홍보 채널에는 서비스나 제공하고 있는 제품보다는 개인의 일상만 나열되어 있어, 사업에 대한 의지가 있는지 의문이 든 적이 있다.

고객은 사장님 개인의 일상이 궁금한 게 아니라, 어떤 서비스, 제품을 제공하는지에 관심이 많다. 흔히, 소셜미디어에 올린 다음 일정 기간 고객 반응이 없으면 아예 홍보 활동을 안 하는 경우를 많이 보게 된다.

홍보 마케팅 활동에 대한 고객 반응은 시간이 걸린다. 고객에게 정보를 충분히 제공한다는 목표로 운영해야 한다. 또한 홍보 마케팅과 광고의 개념을 분명히 구분해서 운영하는 것이 중요하다. 광고는 효과, 반응을 비교적 빨리 확인할 수 있지만, 홍보는 빠른 시간 내에 효과를 보는 것이 쉽지 않다. 광고와 홍보는 목표, 채널, 방법에 따라 다를 수 있다. 창업하기 전에 어떤 활동을 선행해서 해야 하는지 충분히 인지하고 계획을 세워야 실패하지 않는다.

누구에게 무엇을, 왜 파는 건가요

지하철역 근처 스터디 카페를 방문한 적이 있다. 전형적인 스터디 카페라기보다는 커피숍, 카페 같은 느낌의 공간이었다. 오픈된 공간도 있지만 방으로 된 곳도 있어 이용자가 원하는 방식으로 이용할 수 있었다. 규모가 크지 않지만 비교적 깨끗하게 운영되고 있었다. 지하철에서 가깝고 인근에 학교가 있어 학생들의 방문이 많을 것으로 예상되었다. 그런데 사장님과 미팅을 해보니, 의외로 성인층의 방문이 많다는 얘기를 들었다. 지역과 상권을 잘 살펴보니, 성인층의 방문이 많을 수밖에 없었다.

첫째, 지하철역에서 가까워 방문이 편리하고 성인 고객이 이용하기 쉬웠다. 둘째, 스터디 카페의 콘셉트가 전형적인 스터디 카페가 아니라, 카페나 커피숍 같은 느낌이어서 학생들보다는 성인층이 좋아할 공간이었다.

주로 방문하는 고객은 자격증 시험을 준비하는 중·장년층의 비중이 높았고, 재방문율도 비교적 높은 편이었다. 카페, 커피숍 같은 분위기여서 자유롭게 공부하기를 원하는 성인 대상 스터디 카페로 적합했다. 사장님이 계속 상주하고 계시면서 환경과 위생에 많은 신경을 쓰고 있어 성인 고객의 신뢰를 받았다고 볼 수 있다.

같은 스터디 카페도 고객 성향과 매장의 콘셉트, 분위기에 따라 핵심 타깃 고객을 다르게 확보할 수 있다. 경쟁 매장과 같은 고객층만을 공략하면 경쟁이 치열할 수밖에 없다. 단순히 업종이나 사업의 고정적인 고객층을 떠나 내 매장, 아이템의 적합한 고객층 발굴이 중요하다.

대를 이어 혁신하라

 전통시장 방문의 기회가 많이 있어, 다양한 아이템을 판매하는 매장을 보게 된다. 부모님 세대에 이어 2세대 자녀들이 사업체를 물려받아 운영하는 사례를 많이 접하게 된다. 전통시장에서 부모님 세대부터 창업했기 때문에 사업의 안정화와 함께 단골 고객 비중이 높은 경우가 많다.

 그런데 2세대 자녀분들이 사업체를 물려받아 운영하면서 과거의 사업 모델만으로 경영이 어려운 것을 많이 보게 되었다. 전통시장 유입 인구가 계속 감소하고 있고, 인터넷을 통해 온라인으로 구매하는 고객이 점점 많아지고 있기 때문이다. 고객의 취향도 과거와는 많이 다르기 때문에 변화와 혁신 없이는 사업을 운영하기가 힘들다.

 이럴 때는 기존의 제품과 서비스만으로 운영하는 데 한계가 있다. 부모님 세대와 달리 2세대, 3세대 사장님들은 다양한 방식으로 판로 개척과 사업 확장을 하고 있는데, 인터넷 판매, 브랜딩 강화, 협업 마케팅으로 혁신을 다양하게 시도하고 있다. 시장 환경이 다르고, 고객 성향이 변화하고 트렌드가 변화하기 때문에 사업 모델과 제품, 서비스에도 혁신이 필요한 것이다.

 부모님 세대에서 잘 구축해 놓은 사업화에 고객과 트렌드를 반영한 혁신성을 매칭해 사업 확장을 강화하는 것이 중요하다. 전통을 이어가면서 새로운 혁신과 사업의 안정화를 이루어서 오랫동안 사업을 운영해 100년 가게의 전통을 유지했으면 한다.

고객의 라이프 스타일을 보라

제품을 구매하고 서비스를 이용하는 고객의 성향과 일상을 알고 있는지 대표님들께 가끔 물어본다. 일부는 어떤 스타일의 고객일 것이라고 답변하는 일도 있지만, 깊이 생각해 보지 않았다고 할 때도 있다.

얼마 전 만난 젊은 여성 대표님은 젊은 여성 운전자가 많아지면서 사업 아이템을 발견했다. 여성 운전자가 많아지면서 필요한 아이템이 있을 것으로 판단해 다양한 시장 분석과 소비자 조사를 통해 제품을 개발해 성공적인 창업을 했다. 이처럼, 내가 타깃으로 하는 고객의 활동, 성향, 스타일을 분석하게 되면 고객이 필요로 하는 제품, 서비스를 발견하게 된다. 아직 제품, 서비스가 시장에 없는 것도 있고, 시장에 있지만 고객이 만족하지 못하는 것도 있다. 고객에 대한 관심과 공부는 지속적으로 해야 한다.

1인 가구가 늘어나고 가족의 범위가 많이 축소되면서 1인

가구 혹은 핵가족을 위한 아이템의 수요가 증가하고 있다. 최근에 방문한 매장은 참기름, 들기름을 판매하는 곳인데, 주위에 대학생과 젊은 직장인이 많아지고 있어, 1인 가구를 위한 제품을 출시할 계획이라고 했다.

 과거에는 대가족 위주여서 제품의 용량이 큰 거를 선호했는데, 최근에는 저장 공간도 많이 없어 작은 용량을 선호하는 추세라고 했다. 사장님이 고객이 필요로 하는 포인트를 관찰하고 '어떻게 하면 고객을 만족시킬 수 있는 제품을 개발할 수 있을까' 하는 고민이 보였다. 장담하건대, 고객의 만족도와 함께 사업에도 많은 도움이 될 것으로 보인다.

제3장 확실히 준비되었나요

제발, 트렌드와 고객을 보세요

새로운 트렌드에 거부감이 없고, 트렌드를 즐기고 이끌어가는 세대가 20~30대라고 할 수 있다. 새롭고 기발한 아이디어를 자연스럽게 받아들이고 문화와 전통에 대한 호기심과 관심도 많다. 본인만의 스타일과 라이프 스타일에 대한 추구도 확실한 편이다.

코로나를 겪으면서 혼술에 대한 인식이 변했고, 집에서 가족과 친구와 자연스럽게 음주를 즐기는 문화가 자리 잡고 있다. 예전과 다른 점은 많이 마시는 문화에서 즐기고 음미하는 음주 문화로 바뀌고 있다는 것이다. 취하지 않고 건강하고 즐겁게 음주 문화를 즐기려는 트렌드라고 볼 수 있다.

이런 트렌드를 반영해 여성을 위한 숙취제거제 시장도 성장하고 있다. 여성의 건강을 고려한 숙취제거제는 음주 문화를 다양하게 즐기려는 젊은 세대의 취향과 잘 매칭된다. 건강을 챙기면서 음주를 즐길 수 있는 목적으로 건강한 숙취제거제 제품이 많이 출시되고 있다. 시장 규모가 점점 커지고 있고 입소문을 통해 구매하는 고객층도 많아지고 있다고 한다.

최근에 인기 있는 추억의 붕어빵도 트렌드를 반영했다고 볼 수 있다. 중·장년층에게는 어린 날의 추억을 불러일으키고, 젊은 층에게는 레트로 문화를 반영한 간식 메뉴로 각각 인기를 끌고 있다. 내가 사는 아파트 근처에도 이런 트렌드를 반영해 붕어빵을 메뉴에 포함해 판매하는 매장이 늘고 있다. 시즌 트렌드와 고객의 성향을 빠르게 확인, 실행해 옮기는 사례 중 하나라고 볼 수 있다.

사업을 운영하면서 다른 업종, 아이템, 시장의 상황이나 트렌드를 면밀히 보고 내 사업에 어떻게 적용시킬 것인가를 생각하기 바란다.

광고합니다. 그런데 매출이 안 올라요

　광고를 지속적으로 하는 사장님을 만난 적이 있다. 창업 때부터 광고를 계속하고 있으나 생각보다 효과가 없고, 고객 유입 효과도 거의 없다고 하셨다. 자세히 보니, 고객이 많이 검색하는 키워드 사용과 관련 사이트 연결, 제품정보가 제대로 되어 있지 않은 것을 발견했다. 사장님은 모든 정보를 다 넣었다고 하지만, 정작 고객이 알고 싶어하는 정보와는 큰 차이가 있었다. 여러 홍보 채널을 갖고 있으나 서로 연결되거나 통합적인 정보를 보여주고 있지 않았다. 이런 경우 광고 효과가 없는 것이 당연하다. 고객은 이런 경우 정보 검색을 하다가 이탈할 가능성이 매우 높다. 광고를 해서 고객 유입은 되나, 고객이 사이트에 머물지 않고 떠나 버리면 광고 효과가 떨어질 수밖에 없다.

　다른 경우는 온라인 검색 광고를 오랫동안 진행했으나 광고 효과가 없는 경우였다. 이 경우는 온라인 사이트 상세 페이지가 제대로 준비되지 않아 고객이 사이트에 들어왔다가 나가는 비율이 높았다. 고객이 검색 광고를 통해 들어왔으나, 제품이 매력적이지 않아서 혹은 정보가 체계적으로 제공되지 않아서 구매하지 않고 이탈한 가능성이 높았다.

　컨설팅을 하다 보면 이런 일이 많다. 매출 증가를 위해 광고를 꾸준히 하고 있는데 효율성이 계속 떨어지는 것이다. 만약 지금 광고를 진행하고 있는데 매출이 안 오른다면 내가 가지고 있는 홍보 채널이나 판매 사이트를 다시 한번 확인해 보는 것을 제안한다. 제품의 적합도, 매력도, 정보의 정확성을 확인한 다음, 개선하고 광고를 시행하는 것을 제안한다.

준비는 철저하게, 반응은 정확하게

어설프게 창업을 준비해서 사업을 시작하면 내가 원하는 결과가 바라는 대로 나오지 않을 수 있다. 고객의 선택과 선호는 비교적 정확하고 명확하기 때문에 초기 사업의 성패를 좌우한다.

내가 만난 창업자 중에 멕시코 전문 음식점을 운영하는 분이 있었다. 창업 초기, 여유 자본이 없어 청년몰에서 시작해서 1년 후에 본인의 매장을 오픈한 성공적인 사례였다. 창업 초기에 많은 사람이 사업 성공 가능성을 크게 보지 않았는데, 대표님이 철저하게 준비하고 계획해서 성공한 경우였다.

대표님이 청년몰에서 성실하게 준비하면서 고객의 반응을 확인할 수 있었다고 한다. 초기에는 작은 규모로 시작했지만, 최선을 다해 메뉴 선정을 하고 메뉴에 대한 고객 피드백을 열심히 참고해서 반영했다고 한다. 매장을 오픈한 후 예상한 것과 같이 매출이 안정적으로 유지되고 있었다. 고객의 반응이 좋아 조만간 2호점도 계획하고 있다는 얘기를 들었다. 철저한 준비가 사업 성공의 결과로 이어진 것이다.

 매출이 안 오르는 이유가 매장 규모가 작거나, 유동 인구가 없다거나, 경쟁이 너무 치열하기 때문이라는 이야기는 누구나 할 수 있다. 많은 분들이 부정적인 요인과 이유를 수도 없이 댄다. 하지만 이런 이유들은 내 사업에 전혀 도움이 되지 않는다. 상황 파악을 했다면 긍정적인 요인들을 발견하고 어떻게 긍정 요인들을 내가 처한 상황에 활용할지에 좀 더 많은 시간을 쏟기를 당부한다. 앞서 예로 든 사장님은 성실함과 겸손한 자세, 확고한 목표로 난관을 극복하고 성공한 좋은 사례라고 볼 수 있다.

고객의 소리 제대로 듣고 있나요

우리 동네에 정육점이 하나 있었다. 처음에는 매출도 잘 나오는 것 같고 고객의 방문도 많았다. 아파트 근처에 정육점이 두 군데 있지만 마트 안에 있는 형태여서 고객 유입이 많지 않았는데, 이 새로운 정육점은 아파트 진입로에 입점해 있어 가시성도 좋고, 접근성도 좋았다. 도보로 혹은 자가용으로 출·퇴근하는 고객들의 방문도 많았다.

그런데 어느 순간 고객이 점점 감소하는 게 눈에 보였다. 나도 방문했을 때, 내가 사고 싶은 제품이 없는 경우가 많았고, 제품 회전율이 높지 않아 보였다. 다양한 고기 종류가 없으니, 구매하지 않게 되고 자연스럽게 방문하지 않게 되었다. 사장님에게 여쭤보면 정확한 대답을 얻기 어려웠다. 무슨 이유인지 고객 유입이 줄고 제품을 많이 진열하지 않고 그러다 보니 회전율이 느려지는 것 같았다.

어느 날 보니, 매장이 문을 닫는다는 표시가 있고 임대한다는 문구가 붙어 있었다. 여러 가지 이유가 있겠지만, 고객의 소리를 듣고 개선하는 것이 중요하다. 고객이 지속적으로 필요로 하는 것을 요구하지만 듣지 않는다면, 고객은 다시 방문하지 않는다. 고객이 무언가 제품과 서비스에 대해 의견을 말한다는 것은 그만큼 애정이 있기 때문이다. 그런 고객의 소리를 계속 듣지 않으면 사업의 미래도 불투명해진다.

최근에는 온라인으로 제품을 판매할 때 리뷰나 후기를 남기는 고객이 있다. 만약 고객이 만족하지 못했다면 그냥 떠나버리는 일이 많다. 고객이 부정적인 리뷰나 후기를 남겼다면 개선할 사항으로 보고 꼼꼼하게 무엇을 개선해야 하는지 확인하기 바란다.

단골 고객을 잡아라

신규 고객을 유치하기는 매우 어렵다. 홍보나 광고를 통해 혹은 입소문을 통해 고객을 유치하려면 마케팅 투자가 필요하다. 따라서 한번 제품 구매를 했거나 혹은 서비스를 경험한 고객을 계속 내 고객으로 확보하는 것이 중요하다. 내 제품을 구매한 적이 있는 고객이 다시 재구매할 확률이 높다고 한다. 고객이 만족도가 높다면 구매 확률이 당연히 높을 수밖에 없다.

온라인 쇼핑몰을 약 10년 이상 운영한 사장님은 트렌드와 패션 감각을 지속적으로 유지하기 위해 시장조사와 트렌드 분석을 끊임없이 한다. 거의 매일 새로운 제품을 선보이고 지속적으로 소셜미디어를 통해 마케팅 홍보를 하고 있다. 그래서인지 기존 고객의 재구매율이 매우 높은 편이었다. 아마도 사장님의 패션 센스, 성실함, 제품에 대한 신뢰가 높기 때문일 것이다. 고객이 필요로 하는 패션 트렌드를 반영한 제품을 계속 선보이기 때문에 구매율이 높다.

최근에는 기존에 구매했던 고객에게 마케팅 활동을 할 수 있는 시스템이 많아지고 있다. 내 제품, 서비스에 대한 구매 이력이 있는 경우, 고객 데이터를 통해 제품, 브랜드 정보를 제공할 수 있다. 신제품이나 이벤트를 진행할 경우, 온라인 사이트를 방문하고 구매한 고객에게 소식을 알려 방문을 유도할 수 있는 프로그램도 있다.

단골 고객을 확보하기 위해서는 데이터 확보와 노력이 필요하다. 고객의 취향과 스타일을 데이터를 통해 파악하고 마케팅 채널을 통해 꾸준히 소통하는 것이 단골 고객을 만드는 가장 좋은 방법이다.

적어도, 창업 전에 홍보 마케팅 배워라

사업, 창업하기 위해서 많은 준비를 해야 한다. 인테리어, 매장 콘셉트, 가격, 패키지, 인력 채용 등 준비해야 하는 사항이 매우 많다. 그런데 많은 분들이 홍보 마케팅에 대해서는 신경을 못 쓸 때가 많다. 매장을 오픈하고 하면 될 거라는 낙관적인 생각을 갖기도 한다.

규모가 있는 사업장이라면 외주 업체나 전문가를 활용할 수 있다. 내가 충분한 여유자금이 있으면 전문 마케팅 업체를 활용하는 것이 좋으나, 많은 경우 충분한 마케팅 예산이 없어 사장님이 자체적으로 하는 일이 많다.

뷰티 관련 매장 대표님은 업종 특성이 온라인 홍보와 관련이 많음에도 전혀 준비가 되어 있지 않았다. 처음에는 적극적으로 전문 마케팅 홍보 업체 활용을 했으나 매출이 줄고 비용이 많이 부담되면서 활용하고 있지 않았다. 문제는 업체와 계약이 끝난 이후 거의 홍보 활동을 하지 않고 있다는 것이었다. 온라인 소셜미디어 콘텐츠 업데이트가 되지 않았고, 기존 정보도 업데이트가 되어 있지 않아 영업하고 있는지 의심스러웠다. 홍보 업체에 맡겨 놓고 본인은 거의 신경을 쓰지 않았고 막상 전문업체 없이 운영하려니 엄두가 안 났던 것이다.

문제는 업체를 활용했음에도 효과가 높지 않았다는 것이다. 사장님이 운영 경험이 없어 업체가 효과적으로 진행하는 것을 정확히 확인할 수 없었을 것이다.

현재 창업을 준비하고 있다면 홍보 마케팅 활용과 실행 방법을 배워, 사업에 도움이 될 수 있도록 해야 한다.

상품이 아닌 브랜드로 생각하라

 최근 2세대, 3세대 대표님들이 가족 사업 혹은 부모님 사업을 물려받아 운영하는 경우가 많아지고 있다. 부모님이나 사업을 운영했던 가족 구성원이 연로해지셔서 다음 세대에 사업 운영을 맡기는 일이 있다. 아들, 손자들이 가업을 이어 사업을 운영하는 매장을 방문할 기회가 있었다. 가업을 이어 100년 가게로 지정되고, 정부로부터 혜택을 받아 비교적 잘 운영하는 대표님도 있었다.

 1세대 창업자와는 달리 2세대, 3세대 대표님은 사업 확장성에 대해 많은 고민을 하게 된다. 고객이 변하고 시장이 변하고 트렌드가 다르기 때문에 예전의 사업 모델로는 운영하기가 힘들기 때문이다.

 이 시기가 사업의 지속성, 확장성을 좌우한다. 고객, 시장 상황을 감안해서 사업 전략을 만들고 실행 계획을 세워야 한다. 새로운 시장, 새로운 고객을 위해서 단순히 제품, 서비스를 파는 것이 아닌, 역사, 문화, 브랜드를 알린다는 목적을 가져야 한다.

외국을 여행하다 보면, 100년 이상 이어져 온 매장도 많고 대를 이어 가업을 잇는 경우가 많다. 특히 일본과 유럽에 오래된 매장이 많다. 문화와 전통을 유지하면서 어떻게 사업을 유지하고 있는지 벤치마킹하는 것을 제안한다. 업종과 아이템에 따라 다르겠지만 기본을 유지하면서 변화하는 시장과 고객을 잘 반영해서 계획을 세우기를 바란다.

얼마 전 만났던 한과 전문 브랜드 젊은 사장님의 경우, 부모님과 함께 한과를 브랜드화하는 작업을 하고 계셨다. 한국만이 아닌 세계적으로 시장을 넓히는 것이 사장님의 목표라고 했다. 우리나라도 대를 이은 많은 가족 기업이, 100년 가게가 되어 오랫동안 계속 성장하기를 바란다.

제대로 확인은 하고 있나요

 규모가 있는 매장의 경우, 홍보 마케팅 전문업체에 일을 맡기기도 한다. 최근에 만났던 사장님과 마케팅 관련 이야기를 하다가 전문업체에서 관리해 주고 있다는 이야기를 들었다. 전문업체의 관리에도 불구하고 매출은 별로 나아지지 않았다고 하셨다. 자세히 보니, 홍보 마케팅 채널이 제대로 운영되고 있지 않았다. 효과가 떨어지는 콘텐츠가 많고 사진과 영상도 최근의 트렌드를 반영하지 않고 있었다. 유사한 사진과 콘텐츠가 많다 보니, 고객의 흥미와 관심을 전혀 끌 수 없었다. 검색해 보니 매장이 상위에 노출되지 않았다. 결과적으로 매출도, 고객 유입도 정체 상태였다.

 사장님께 홍보 활동을 확인하고 있는지 여쭤봤는데, 바빠서 거의 못 하고 있다고 했다. 분명히 효율성이 떨어지고 있다는 느낌이 들었다. 사장님께 홍보 마케팅 운영에 개선이 절실히 필요하다는 말씀을 드렸다. 다행스럽게도 조만간 홍보업체 변경을 한다고 했다. 업체 변경이 필요하고, 사장님도 주기적으로 어떻게 운영이 되고 있는지 확인이 필요해 보인다고 말씀드렸다.

흔히 전문업체나 전문가에 맡기면 운영이 잘 될 거라고 생각한다. 하지만 그렇지 않은 경우도 많기 때문에 업체에서 제공하는 데이터를 자세하게 확인하고 비용 대비 효과가 떨어진다면 빨리 방법을 취하게 하는 것이 중요하다. 전문업체와 전문가와의 협의를 통해 홍보 채널을 제대로 선택하고 실행 방법을 확인해야 한다. 대표님이 정기적으로 효과와 결과에 대해 확인하지 않는다면 업체 또한 많은 관심을 기울이지 않을 것이다.

'모두 다'가 아닌 '가장 맞는' 걸로

컨설팅을 하다 보면 동네 사랑방 같은 매장이 있다. 지역 혹은 동네에 있는 미용실, 중·장년을 위한 의류 판매점, 아파트 인근에 있는 뜨개질 공방이다. 이외에도 동네 커뮤니티 역할을 하는 곳이 있다.

동네 사랑방, 커뮤니티 역할을 하는 매장은 다양한 채널보다는 방문 고객에게 적합한 채널이 필요하다. 카카오톡 혹은 밴드같이 같은 취미, 비슷한 취향을 가진 고객과 정보를 공유하는 것이다. 같은 취미, 성향, 비슷한 나이대의 고객들은 보이지 않는 끈끈한 관계로 오랫동안 이어지는 일이 많다. 결과적으로 자연스럽게 동네 혹은 취미 커뮤니티가 되기도 한다.

내가 방문한 의류 전문점은 초기에 매출이 안 나와 힘들 때, 매장을 방문한 고객들의 조언이 많은 도움이 되었다고 한다. 제품 선정이나 매장 운영, 가격 등 창업 초기에 시행 착오를 겪었는데 고객들의 도움이 많았다고 한다. 경기가 어려울 때마다 고객들이 의류 구매를 해주어서 아직도 감사하다고 한다. 현재 사장님의 매장은 동네 사랑방, 커뮤니티로 자리 잡아 고객이 끊이질 않는다. 비슷한 경우로 뜨개 공방도 같은 취미를 가진 고객들의 중요한 아지트가 된다. 따라서 다양한 홍보 채널보다는 기존 고객과의 관계를 강화하는 마케팅 채널 운영을 제안한다. 새로운 정보와 소식을 알려 커뮤니티 아지트의 역할을 수행해야 한다.

우리가 많이 이용하는 당근마켓도 어떻게 보면 비슷한 이유와 목적을 가진 사람들의 사이트라고 할 수 있다.

내가 해보고 남을 시켜야

 내가 만난 사장님 중 홍보 마케팅에 열심히 또한 진심이신 사장님이 있다. 장년층의 나이에도 새로운 트렌드와 홍보 채널을 열심히 배우고 계셨다. 사업을 운영하면서 필요한 교육을 신청하고 참석하는 것이 쉽지 않다. 많은 분들이 현업에 계시기 때문에 시간을 낸다는 것이 어렵기 때문이다.

 그런데 사장님은 배우려는 자세가 매우 적극적이었고, 본인이 배운 것을 직접 실행하면서 즐거워하셨다. 내가 만든 음식을 고객에게 어떤 방법으로 온라인 미디어를 통해 선보일지에 대해 깊이 고민하는 모습이 인상적이었다.

 매장을 방문한 고객과 적극적으로 소통하고 리뷰를 남긴 고객에게 댓글을 달아 감사의 마음을 전했다. 음식과 조리 방법에 대한 사진과 영상을 통해 홍보 마케팅을 꾸준히 실행하고 계셨다. 결과적으로 사장님의 이런 노력과 성실함으로 매출이 안정적으로 유지되었다. 입소문을 타고 인기를 얻어 지역 맛집으로 자리 잡았다.

중·장년층의 사장님은 새로운 홍보 채널이나 기능에 대해 접근하기가 어려운 경우가 많다. 하지만 최근에는 무료로 교육을 제공하는 곳이 많기 때문에 적극적인 자세만 있다면 배울 수 있다. 예전에 뵀던 피아노 원장님은 어린 학생들과 소통하기 위해 소셜미디어 기능을 배워 적극적으로 활용하고 계셨다.

배움에는 나이가 없다고 한다. 내 사업과 아이템을 알리고 소통하기 위해서는 적극적으로 배우려는 자세가 필요하다. 내가 알아야 내 직원에게, 전문업체에 내가 원하는 바를 정확히 요구할 수 있다.

제4장 맞게 선택했나요

이벤트, 사은품 어떻게 활용하나요

 사은품과 이벤트 아이템은 고객의 방문율을 높이는 요소가 된다. 만약 내가 사은품과 프로모션 아이템을 받는다면 어떤 종류를 좋아할까 생각해 보았다. 업종, 아이템, 고객의 필요성을 잘 조합해서 비즈니스와 연관된 상품이라면 금상첨화일 것이다.

 미용실이라면 요즘 온라인에서 유행하는 머리빗이나 탈모 방지 샴푸 샘플이 적합할 수 있다. 만약 효과가 좋다면 고객의 재방문율도 올라가고, 고객의 추후 구매로까지 연결될 수 있다.

 얼마 전에 방문했던 미용실은 주택가 동네에 있어 중·장년층 고객이 많은 편이었다. 고객이 중년 이상이 많다 보니, 탈모와 머리 관리에 관심이 많았다. 펌이나 염색을 많이 하는 고객들이 탈모 관리 제품에 관심이 많다는 것을 알게 되었다. 이런 고민이 많다는 것을 보고 탈모 방지 샴푸 샘플을 고객에게 제공하는 아이디어를 생각했다. 펌이나 염색을 하는 고객이나 탈모에 관심이 많은 고객에게 무료 샘플을 제공해서 경험하게 하고 효과가 있으면 판매해서 추가 매출을 올릴 가능성도 있었다.

이처럼 고객층의 눈높이에 맞춰 필요로 하는 제품을 사은품으로 활용하는 것이 중요하다. 미용실 사장님처럼 사은품이 추후 매출로 이어진다면 사업에 도움이 된다.

사은품이나 이벤트 제품을 고려할 때, 아이템과의 연관성과 고객의 니즈에 부합한 제품인지 확인하고 제작하는 것을 제안한다.

당신의 가격, 얼마나 합리적인가요

네일숍을 운영하는 사장님을 만났다. 창업 초기에는 매출이 어느 정도 유지되었는데, 현재는 고객 유입이 전혀 안 되어 어려움을 겪고 있었다. 그래서 가격대를 기존보다 낮춰 운영하고 있는데, 일한 만큼 수익이 안 나와 운영에 어려움이 있는 상황이었다.

가격대를 낮춘 이유가 가격 경쟁력을 증가시키기 위한 것이지만, 결과적으로 고객 유입 효과도 미미하고 수익도 악화되었다. 가격 인하 효과가 거의 없었다. 하지만 예전 가격으로 돌리기도 애매한 상황이었다.

다른 사례는 뷰티 업종에 종사하는 사장님인데 지하철역과 근접한 주택가에 있는 매장으로 서비스 가격이 비교적 높은 편이었다. 가격이 높으면 서비스 수준이 높아야 하는데, 다른 곳과 비교해서 특별한 차별화가 없어 고객의 재방문이 낮았다. 아마도 서비스에 비해 가격이 높다고 생각하는 고객이 많아서일 거라고 판단되었다.

우리는 흔히 가격이 낮으면 고객이 방문하는 기회가 더 많을 것으로 생각한다. 그러나 가격을 내리기 전에 고객이 입점하지 않는 이유를 먼저 확인해야 한다. 정말 가격 때문인지, 혹은 외부적, 내부적 요인이 있는 것은 아닌지 분석해야 한다.

첫 번째 사례의 경우, 위치적인 요소로 인해 고객 방문이 저조한 것으로 보였다. 유동 인구가 많지 않다 보니, 가격대를 낮춰도 효과를 전혀 보지 못했다. 핵심 고객의 성향이나 차별화를 고려하지 않고 가격대를 선정하는 것을 경계해야 한다.

두 번째 사례의 경우, 본인이 제공하는 서비스를 객관적으로 분석하고 고객이 가격 대비 서비스에 대한 만족도를 확인해야 한다. 고객은 지불하는 비용 대비 서비스의 질이나 가치가 낮다고 판단되면 다시 방문하지 않을 것이다.

내가 좋아하는 아이템으로
고객을 오게 할 수 있나요

 반려견을 키우는 사장님이 반려견 셀프 목욕탕을 오픈했다. 본인이 반려견을 키우기 때문에 반려견에 대해 잘 안다고 생각했다. 사장님 본인이 반려견을 키우는 고객의 입장이기 때문에 운영에 어려움이 없고, 고객의 마음을 더 잘 이해할 수 있다고 믿었다.

 본인이 좋아하는 업종이나 아이템으로 창업해서 성공적으로 운영하는 경우도 있지만, 단순히 좋아하는 것만 믿고 구체적인 계획을 세우지 않고 창업해 낭패를 겪는 일도 있다.

 반려견을 위한 셀프 목욕탕의 경우, 대형견을 가진 견주가 이용하는 일이 많다. 사장님이 오픈한 매장은 소형견을 키우는 아파트가 많은 지역이기 때문에 다른 매장에 비해 이용률이 적은 편이었다. 사장님도 소형견을 키우기 때문에 이런 사항은 미처 확인하지 못했다고 한다. 비슷한 경우로, 최근 내가 사는 아파트 근처에 반려견 셀프 목욕탕이 문을 열었다. 매장은 매우 깨끗하고 넓은 데 이용하는 고객은 많지 않았다. 아파트에 거주하는 주민들은 소형견을 많이 키우기 때문에 집에서 목욕시키는 경우가 많다. 창업 전에 소비자의 서비스 이용 행태를 확인하는 것이 필요하다.

내가 불편하고 필요했기 때문에 창업했다가 막상 일반소비자는 크게 불편을 느끼지 못하는 것을 추후에 알게 되는 경우가 종종 있다. 이런 경우, 나의 불편함을 객관화하지 말고 창업 전에 다양한 소비자가 필요로 하는 부분을 좀 더 확인하고 계획을 세워야 한다.

트렌드가 바뀌면 아이템도 변화가 있어야

인구감소와 저출산이 한국 사회의 사회적 경제적 문제가 되고 있어 우리 사업에도 많은 영향을 끼치고 있다. 일할 사람이 없다 보니, 자영업을 하는 사장님들이 어려움을 겪기도 한다. 젊은 층들의 결혼 연령이 늦어지고 취업난, 경기침체, 교육비 증가로 자녀를 갖는 부부 비율도 감소하고 있다.

얼마 전, 학생들 대상으로 문구용품을 판매하는 매장을 방문한 적이 있다. 도심의 전통시장 입구에 있는 문구점으로 다양한 제품을 판매하고 있었다. 인근에 초등학교가 있어 과거에는 매장 운영이 어렵지 않았다고 한다. 하지만 초등학교 학생이 많이 줄고, 학생들이 학용품을 다이소와 같은 대형 소매점에서 쉽게 구매하기 때문에 매출이 예전 같지 않다고 했다.

문구용품 매장이나 학용품 매장은 학생들의 수가 감소하면서 타격을 받는 대표적인 업종의 하나다. 사업을 하면서 트렌드와 사회적 변화, 경제적 변화에 대한 관심을 갖고 살펴보아야 한다. 사회, 문화, 경제적 변화는 나의 사업과 업종에 많은 영향을 끼칠 수 있다.

 마찬가지로, 최근 부동산 중개사무소도 경쟁이 치열해지고 있다. 중개사무소 외에 인터넷을 통해 주택, 아파트를 확인할 수 있어 중개사무소 운영도 예전 같지 않다는 이야기를 많이 접하게 된다. 기술의 변화, 트렌드의 변화, 인구 구조의 변화는 직접적 혹은 간접적으로 나의 사업과 아이템에 많은 영향을 끼친다. 따라서 다양한 정보를 통해 항상 시장 상황을 주시해야 한다.

특별하고 독특한 레시피인가요

음식점들의 경쟁이 치열해지고 있다. 소비자의 입맛이 다양해지고 수준이 높아지면서 비슷한 메뉴는 경쟁력을 잃기 쉽고 트렌드에 밀리기 쉽다.

인근에 수제비 음식점을 방문한 적이 있다. 핵심 메뉴가 수제비로 다른 곳과 비교해서 특별한 메뉴는 아니지만, 고객 유입도 많고 인기가 높은 매장이었다. 수제비와 국수를 팔고 서비스로 보리밥을 제공하는 매장으로 테이블은 5개 정도의 작은 매장이었다.

수제비의 맛도 좋지만, 보리밥이 제공되어 한 끼 식사 대용으로 충분해 고객 만족도가 매우 높은 편이었다. 수제비는 매우 서민적인 음식이어서 차별화된 맛을 내세워서 고객을 모으기가 쉽지 않다. 방문 전에는 수제비를 핵심 메뉴로 두고 있어 사업 운영이 될까? 하는 의문이 들었다. 그런데 맛을 보니, 레시피가 독특하고 맛이 매우 담백해서 젊은 층과 노년층까지 부담 없이 즐길 수 있는 맛이었다. 전통적인 수제비 맛이라기보다는 사장님이 개발한 차별화된 맛을 제공하는 곳이라는 느낌을 받았다. 많은 시행착오를 거치면서 모두가 선호하는 수제비 맛을 개발한 것이 신의 한 수라 보였다.

독특한 식감을 가진 닭강정을 파는 매장을 방문한 적이 있다. 프랜차이즈 닭강정은 많지만, 차별화되고 재료의 맛을 잘 살린 닭강정 사장님의 레시피 때문에 방문하는 고객이 많았다. 대로변이 아닌 주택가 안쪽에 있었음에도 운영이 잘 되고 있었다. 이처럼, 차별화된 레시피는 고객이 알아보고 먼저 찾게 된다.

확장성을 주시하라

 매장을 갖고 사업할 때, 불확실한 경기 상황과 소비자 유입 여부에 따라 매출이 변동되는 일이 많다. 업종에 따라 여름, 겨울 등 소비자 유입이 적어지는 계절에는 매장 매출이 많이 감소한다. 매출이 감소해도 임대료, 관리비, 인건비 등 고정 비용 지출이 있기 때문에 어떻게 하면 비수기에 매출을 올릴까에 대해 고민하게 된다.

 건어물 매장을 운영하는 젊은 사장님을 만난 적이 있다. 건어물만을 판매했을 경우, 매출이 감소하는 시즌이 있어, 매출을 올릴 방법을 고민하고 계셨다. 비수기에는 20~30% 정도 매출이 낮아지기 때문에 매출의 다각화가 절실히 필요했다. 사업의 안정화를 위해서는 다른 수익 모델이 필요한 상황이었다.

 미팅을 하면서 건어물 매장이 위치한 곳이 전통시장이어서 반찬과 기타 건어물을 활용한 가공식품을 온라인과 매장에서 파는 것을 제안했다. 건어물 판매 외에도 반찬과 가공식품을 구매하는 신규 고객을 유치할 수 있어 추가 수익을 확보할 수 있는 기회가 될 것으로 보였다. 1인 가구나 소규모 가구가 많아지면서 간단한 반찬류를 구매하고자 하는 고객이 많아지는 것도 유리하다고 보았다.

　현재는 건어물 외에 다른 추가 제품에 대한 고객 반응이 좋아 매출이 증가하고 있다고 한다. 반찬과 가공식품에 대한 매출이 비수기에 매장 운영에 많은 도움이 되고 있다고 했다. 비수기에 온라인 판매가 도움이 될 것으로 보여 온라인 고객을 위해 온라인 특화 제품 개발도 준비하고 있다고 한다.

적어도 전문가 수준급의 지식을 갖춰라

자동차 소품과 액세서리를 온라인에서 판매하는 젊은 여성 대표님을 뵌 적이 있다. 창업한 지 얼마 되지 않았는데, 좋은 성과를 올리고 계셨다. 흔히 여성 운전자들은 남성 운전자에 비해 자동차에 대해 잘 모를 것이라는 선입견을 갖는데, 그 선입견을 날려 버릴 수 있는 대표님이었다. 젊은 여성 대표님은 자동차에 대한 많은 전문 지식과 경험을 갖고 있었다. 본인이 어렸을 때부터 자동차에 대한 관심과 흥미를 가졌고, 자연스럽게 자동차 관련 소품과 액세서리를 직접 판매하고 싶다고 생각했다고 한다. 관련 자격증과 경험도 많아 대단하다고 생각했다.

판매처나 거래하는 회사에서도 상담할 때 사장님의 지식과 경험에 놀라는 경우가 많다고 한다. 이처럼 내가 사업을 하는 업종과 아이템에 대해 꾸준한 관심과 공부가 필요하다. 트렌드가 변하고 고객의 요구도 다양해지고, 시장의 상황도 변하기 때문에 항상 변화를 추구해야 한다.

사장님이 정보와 경험을 확대하기 위해 자동차 관련 동호회와 커뮤니티에 적극적으로 참여한다는 이야기를 들었다. 네트워킹을 늘리고 다양한 지식을 쌓는 좋은 기회라고 했다. 대학교 자동차학과와 다양한 프로젝트를 진행해 진로와 취업을 앞둔 대학생들에게 경험을 쌓게 해주고 싶다고 했다. 미래를 보고 사업을 한다는 인상을 받았다. 대표님이 제품에 대한 고객의 질문과 제품 후기에 대해서도 항상 주의 깊게 확인한다고 하니, 대표님의 사업 성공 가능성은 무척 밝아보였다.

빈틈을 노려라

 시장 트렌드와 고객 성향이 빠르게 변하면서 새로운 아이템으로 창업하는 대표님들이 많아지고 있다. 시장을 선점하기 위해 트렌드와 접목된 아이템으로 사업을 하는 경우이다. 인기 있는 아이템이나 서비스를 내세워 일찍 시장을 선점하고 고객을 모아 성공하기도 한다. 하지만 인기 있고 고객이 몰리는 아이템의 경우, 누구나 하고 싶어하기 때문에 경쟁이 치열하고 실질적으로 성공 확률이 높지 않다.

 최근 디저트 카페가 인기를 끌면서 많은 매장들이 생겼다. 트렌드와 고객의 니즈를 반영한 새로운 케이크류와 디저트를 선보이면서 경쟁이 치열해져 차별화가 점점 없어지고 있다. 따라서 트렌드와 맞기는 하지만 경쟁력이 없어 사업 운영이 힘들어지기도 한다.

 티 하우스를 운영하는 대표님을 만난 적이 있다. 아이템이 '차'이기 때문에 주로 연령이 있는 고객의 방문이 많을 거라

생각했는데, 의외로 젊은 고객의 방문 비율이 높다는 얘기를 들었다. 미디어와 인터넷에 익숙하고 빠른 사회 트렌드에 익숙한 젊은 고객들이 휴식과 본인의 시간을 갖기를 원한다고 했다. 차와 함께 힐링의 공간이 필요한 고객을 위해 창업을 결심했다고 한다.

나는 사장님이 고객들이 정말 원하는 '틈'을 잘 발견하셨다고 본다. 모두 다 새로운 트렌드와 인기 아이템에 몰릴 때, 고객이 미처 생각하지 못한 부분을 찾아낸 것이다. 물론 여기에는 사장님의 전문성과 경험이 뒷받침되어 있다. 티 하우스에서 고객은 휴식, 충전, 정신적인 힐링을 갖게 되고, 사장님은 안정적인 매출을 통해 사업을 지속하고 있다. 모두 한쪽만 바라본다면, 거기에서 조그만 '틈'을 발견해 내 것으로 만드는 것을 제안한다.

민첩함과 유연성을 가져라

 TV에서 매출이 낮고 폐업 위기에 처한 음식점을 컨설팅 해 주는 프로그램을 본 적이 있다. 사장님이 약 20년 이상 경력을 가진 셰프로 횟집을 운영하고 있었다. 사장님이 실력과 경력은 많으나, 다른 매장에 비해 매출과 수익 모두 계속 감소하고 있었다.

 전문가의 진단 결과, 사장님이 자신의 실력에 기대어 남의 조언이나 지적을 잘 듣지 않는 것이 문제였다. 본인이 변화를 통해 개선해야 하는데, 많은 핑계를 대고 회피하는 것처럼 보였다.

 다행스럽게도 전문가의 권유와 도움으로 본인이 무엇이 부족한지 알게 되었다. 벤치마킹 목적으로 성공적으로 매출을 올리고 있는 매장 방문을 통해 개선하려는 의지를 보였다.

 매출이 높은 횟집은 사장님이 끊임없이 트렌드를 배우려고 하고, 고객의 피드백과 의견을 적극적으로 메뉴에 반영하는 노력을 기울이고 있었다. 결과적으로 고객 유입도 많고 매출도 올라 고객에게 인기 있는 매장으로 자리 잡았다.

경력이나 경험만 많다고 해서 매장 운영이 잘 되지는 않는다. 오랜 경험과 경력 때문에 시장 변화, 트렌드, 고객의 요구를 소홀히 해 실패를 하는 일도 있다. 사례로 든 사장님도 본인의 경력과 경험만 믿고 변화의 소리를 듣지 않았기 때문에 사업 운영에 많은 어려움을 겪었다.

진정한 고수는 다양한 변화와 고객의 의견에 귀를 기울이고 유연성을 가지는 것이다. 내 것만 혹은 내 스타일만 고집하는 것은 위험하고 변화를 방해하는 요소라는 것을 꼭 명심해야 한다.

안 팔리는 이유, 분석해 보셨습니까?

컨설팅이나 멘토링으로 대표님들을 만날 기회가 있다. 매출과 수익이 좋아 비교적 안정적으로 사업을 운영하시는 분들도 있지만, 여러 가지 이유로 인해 사업 운영이 어려운 분들도 많이 계신다. 매출이 감소하고 안정적인 사업 운영이 안되는 이유는 다양할 것으로 보인다. 단순히 한 가지 이유 때문만이 아닌 복합적인 요인을 포함하기도 한다.

만약 내 매장이 매출이 감소하고 소비자가 찾지 않는다면, 그 이유를 냉정하고 객관적으로 분석할 필요가 있다. 본인의 사업을 제3자의 입장으로 객관적으로 평가해서 어떤 점을 개선해야 하는지 살펴보아야 한다.

예전에 코미디 프로그램이 TV에서 많이 방송되었다. 관객들을 위해 다양한 개그 스토리를 만들어 보여줘 한때는 시청률도 높고 많은 인기를 얻기도 했다. 그런데 몇 년 전부터, 코미디 프로그램이 없어지기 시작했다. 확인해 보니, 개그 스토리가 트렌드를 앞서가지 못하고 관객들의 눈높이에 맞추지 못했기 때문이었다. 어떤 경우에는 현실이 더 드라마틱 하고 코미디 같다는 이야기도 있어 더 이상 코미디 프로그램을 선호하지 않는다는 것이다.

우리의 사업도 마찬가지라고 본다. 고객이 내 매장을 혹은 제품과 서비스를 찾지 않는 이유는 무언가 고객이 필요로 하고, 원하는 코드를 내가 못 맞추든가 소홀히 했기 때문이다. 현재 이런 상황에 있다면 지금, 현재 내가 무엇을 놓치고 있는지에 대한 객관적인 평가와 날카로운 분석이 필요하다.

미래 사업 가능성이 있나요

유치원부터 초등학교, 중학교의 학생 수가 점점 줄어들고 있는 것이 현실이다. 지방의 경우 폐교하는 학교가 증가하고 있다고 한다. 학생 수와 관련이 많은 영어학원, 보습학원, 입시학원을 방문할 기회가 있었다. 공통적으로 나오는 이야기가 학생 수가 계속 감소하고 있어 사업에 지장이 많다는 것이었다.

학생 수가 감소한다는 것은 내가 아무리 노력해도 매출과 수익을 올릴 수 있는 가능성이 낮다는 것이다. 사회적 이슈로 인해 저출산과 학생 수 감소는 한동안 지속될 것으로 보인다. 학원업의 경우 이런 사회적 현상은 내 사업에 직접적으로 영향을 미쳐 사업의 존폐를 결정하기도 한다.

만약 내가 이런 업종에 현재 있다면 학생 수, 저출산율과 관련이 없는 다른 수익 모델을 발굴하던가 혹은 업종 전환을 계획하는 것도 제안한다. 이런 사회적 문제의 경우 단기간에 해결될 수 있는 것이 아니기 때문에, 준비하고 대비하지 않는다면 사업에 큰 영향을 미치게 된다.

내가 학생 수와 관련이 있는 사업을 유지해야 한다면 차별화된 서비스, 아이템을 제공해야 한다. 다른 곳에서 제공할 수 없는 독창적이고 창의적인 아이템과 서비스를 제공해 경쟁 우위를 갖는 것이다.

최근에는 온라인과 애플리케이션을 통한 교육 프로그램이 많아지고 있다. 학생 개개인의 진도와 실력에 맞는 맞춤 프로그램을 원하는 학부모들이 늘고 있기 때문이다. 여러 가지 환경적 요인을 고려해 5~10년 후의 나의 사업 방향성과 미래, 비즈니스 모델에 대해 깊이 있는 고민이 필요할 때이다.

준비하면서 최적의 시기를 노려라

 컨설팅을 하다 보면 직장을 다니면서 혹은 다른 일을 하면서 창업을 한 경우가 있다. 주로 부모님과 같이 운영하거나, 직원을 고용해서 운영하는 일도 있다. 주중에는 직장이나 현업에 종사하고 주말에 사업을 운영하거나, 새로운 창업 아이템을 계획하기도 한다.

 요즘에는 2~3개 직업을 갖는 것이 새삼스럽지 않고, 직장 외에도 내가 잘할 수 있는 일을 찾기도 한다. 내가 만났던 대표님들도 창업은 했으나, 아직 초기 단계여서 혹은 안정적인 매출이 안 나와서 직장 혹은 현업과 병행하고 있었다. 개인적으로는 현명한 판단이라고 생각된다.

 직장인이 사업을 하게 되면 초기 투자 비용이 많이 들고, 운영하기 위해서는 여유자금이 필요하다. 내가 가지고 있는 자금이 많다면 직장을 그만두고 사업에 전념하겠지만, 많은 경우, 자금이 충분치 않은 상황에서 시작한다. 따라서 사업이 어느 정도 궤도에 오르기 전까지는 직장 생활 혹은 현업을 병행하는 것을 제안한다.

어머님과 배달 전문 매장을 운영하시는 사장님은 점심과 저녁에만 운영하고 있었다. 사장님이 학원 강사로도 일하고 있어 일정 시간에만 매장 운영을 하고 계셨다. 아직 사업 초기이기 때문에 매출과 수익 현황을 보고 있다고 했다.

다른 사장님은 온라인에서 디저트를 판매하는데, 대학원에서 공부하고 있어 주말과 저녁에만 일을 하고 있다고 하셨다. 매니저를 고용해 매장 운영을 맡기고 본인은 마케팅 홍보에 집중하는 직장인 사장님도 사업과 직장을 병행하고 있었다. 직장과 사업을 지혜롭게 병행하면서 최적의 타이밍에 사업을 운영하는 것을 제안한다.

제5장 최적의 장소인가요

상권, 입지 제대로 확인하셨나요

 창업을 하기 전에 지역, 입지, 상권에 대한 많은 조사를 하게 된다. 전문 컨설턴트를 만나게 되고, 부동산 전문가도 만나 지역 혹은 상권에 대한 전반적인 정보를 얻게 된다. 물론 전문가의 조언과 도움이 많이 필요하지만, 본인의 확신이 중요하다고 본다. 창업한 대표님들을 만나게 되면 입지나 상권에 대한 기존 정보가 잘못되었음을 뒤늦게 아는 일이 종종 있다.

 상권은 좋지만 내 업종이 그 지역의 유동 인구와 맞지 않는 경우가 있을 수 있다. 얼마 전 방문한 주점 형태의 음식점도 사장님이 고려했던 고객층은 젊은 층이었으나, 젊은 층이 입점하기 어려운 입지 환경을 가지고 있었다. 지역 개발이나 오피스빌딩 개발로 고객의 유입이 많을 것으로 판단했는데, 당초 예상과는 달리 매출과 고객 유입에 큰 효과가 없었다고 했다.

다양한 소품 공방의 사장님은 초등학교 건너편에 공방을 오픈했는데, 매출과 운영에 어려움을 겪고 있었다. 초등학교 앞이지만 생각보다 유동 인구가 없었다. 초등학생이 다니는 학원들이 다른 도로에 많이 있어 공방 쪽으로 다니는 사람들이 거의 없었다. 공방은 3층에 있는데 주위가 어둡고 외진 곳이기 때문에 공방 클래스를 열어도 고객이 찾아오기 좋은 환경은 아니었다. 공방이 위치한 1층 빌딩 입구도 찾기가 어렵고, 가시성도 낮은 상황이었다.

공방은 접근성이 중요하고 공방 주위 환경도 방문의 요소인데, 상권과 입지 모두 좋은 조건이 아니었다. 창업 전에 나의 업종과 사업, 고객을 위한 최적의 장소를 위한 요건을 확인해야 한다. 지역과 유동 인구에 영향을 받는 아이템이라면 입지와 상권을 정확하게 분석하는 것이 중요하다.

베스트 상권도 나름입니다

지하철역과 가깝고 버스 정류장에 근접한 곳에 있는 매장이 성공한다는 보장은 없다. 주차시설이 잘되어 있다고 해서 고객이 많이 찾아온다는 보장도 없다. 물론 다른 경쟁 매장에 비해 편리함의 강점이 있지만, 한두 가지 요소만으로 성공할 수는 없다.

내가 방문한 매장의 경우, 지하철, 버스 정류장, 주차시설이 비교적 다른 매장에 비해 좋은 데도 사업 운영이 어려운 곳도 많았다. 다른 매장에 비해 접근성이 좋다는 이유만으로 임대료 비중이 높아 매출에 비해 수익성이 안 좋은 곳도 있었다.

접근성의 장점을 갖고 있으나, 내실 있는 서비스와 차별화된 아이템, 경쟁력 있는 강점이 없으면 접근성만으로 고객의 방문을 유도하기는 매우 어렵다.

접근성은 조금 떨어져도 경쟁력 있는 제품과 서비스가 있는 경우, 고객은 기꺼이 방문할 의사가 있다. 개인적으로 부여에 방문할 기회가 있어, 지역 맛집을 방문했다. 방문한 매장은 규모가 크지 않고 신발을 벗고 들어가는 형태임에도 오픈 시간 전부터 고객들이 줄을 서야만 먹을 수 있는 매장이었다. 접근성도 좋지 않아, 버스에서 내려서 걸어가야 하고 인근에 주차장 시설이 없어 불편함이 있었다. 하지만 그런 불편한 접근성을 맛이라는 강점으로 극복해 낸 경우였다.

내 매장이 베스트 상권에 있다는 것은 장점이지만, 결국 고객을 유입시키는 것은 내가 어떤 강점과 차별화를 가지고 있느냐에 따라 결정된다.

T.P.O 시장, 장소, 상황 확인하셨나요

내가 방문한 비건 레스토랑은 주로 건강을 생각하는 중년층, 혹은 모임을 위해 좋은 음식을 먹기 위한 회원들의 방문이 많은 곳이었다. 중요한 날을 기념하기 위해 방문하는 고객도 있었다. 특별한 사람들과 중요한 날, 좋은 음식을 먹기 위해 방문하는 고객이 많다는 것이다.

시간, 장소, 목적에 맞는 서비스 혹은 제품을 우리 매장이 제공하고 있는지 확인해야 한다. 디저트 카페의 경우 디저트를 즐기려는 고객을 위해 인테리어와 매장 환경에 많은 신경을 쓰기도 한다.

회사 근처의 커피숍의 경우, 바쁜 직장인의 일정에 맞는 운영이 필요하다. 컨설팅을 위해 회사 근처에 있는 커피숍을 방문한 적이 있는데, 직장인 출근 시간에 맞춰 다른 매장에 비해 일찍 문을 열고, 오후 4시 정도에 마감하는 방식으로 운영하고 있었다. 매장 인테리어도 깔끔하고 단순화시켜 장소, 고객, 목적에 맞는 운영을 한다는 느낌을 받았다.

멘토링 때문에 방문한 다른 카페는 다양한 음악과 앨범으로 색다른 인테리어를 한 도심의 카페였다. 매장은 넓지 않지만 편안함을 주는 인테리어와 분위기가 인상적이었다. 티라미슈를 포함한 디저트를 판매하고 있었는데, 다른 매장에 비해 고객이 많은 편이었다. 사장님께 여쭤보니, 인근에 프랜차이즈 커피숍이 많지만 차별화된 느낌의 인테리어와 오픈된 카페 분위기로 인해 고객 방문이 많은 편이라고 했다. 주말에 인근에 웨딩홀이 있어 젊은 고객의 비중도 높다고 했다. 젊은 고객들이 결혼식 참석 후, 모임을 가질 장소가 필요하고 먹을 수 있는 간단한 메뉴가 필요하다고 보았다. 친구들과 즐길 수 있는 디저트 메뉴를 다양하게 제공하면서 재방문율도 높아졌다고 했다.

손님이 오나요

 도심의 주택가에 있는 카페를 방문한 적이 있다. 인근에 대단지 아파트가 있고 비교적 도심에 있는 카페여서 매출이 어느 정도 나올 것이라고 예상했다. 그런데, 사장님 말씀으로는 평일에 고객이 별로 없어 현재는 주말에만 영업한다고 하셨다. 미팅을 끝내고 다시 한번 인근을 돌아보기로 했다. 대단지 아파트가 자리 잡고 있으나, 평일 오전에도 유동 인구가 많지 않아 보였다. 젊은 주부와 중·장년층 주부들이 많이 오는 카페 특성상 유동 인구가 없으면 매출을 올리기가 쉽지 않다. 인근에 커피숍이나 카페도 많이 없고, 가까운 곳에 있는 커피숍도 테이크아웃 개념으로 운영을 하고 있었다. 아마도 자가용을 가진 고객들을 위해 테이크아웃 서비스 개념으로 운영하고 있다는 생각이 들었다.

 결정적으로 카페가 위치한 아파트는 경사가 높은 지역이어서 고객이 걸어 다니기 수월해 보이지 않았다. 결론적으로 고객이 방문할 수 있는 여건이 아니었다. 고객이 오지 않는데 계속 운영하는 것이 비용면에서 부담스러워 현재는 주말에만 운영하고 있었다. 대단지 아파트가 있음에도 커피숍이나 카페가 많이 없는 이유는 아마도 이런 지리적·환경적 요인 때문이라고 보인다. 다행스럽게도 사장님이 온라인 판매 사이트를 통해 비건 쿠키와 디저트를 판매하는 것을 계획하고 있어 매출에 일부 도움이 될 것으로 보였다.

 고객 입점을 통해 매출을 유지해야 하는 사업은 내가 고객의 입장에서 방문할 의사가 있는지 혹은 재방문할 가능성이 높은 입지와 상권인지 객관적으로 분석해야 한다. 위의 사례로 든 매장은 매장 규모와 환경적인 면에서 원데이 클래스와 같이 특정 목적을 위해 운영하는 것이 효과적으로 보였다.

같은 장소, 다른 결과

최근에 내가 사는 아파트 인근에 새로운 카페가 오픈했다. 원래 그 자리는 커피숍을 운영했던 공간이고, 코로나 기간 동안에도 커피숍 사장님이 운영하다가 1년 전 문을 닫은 곳이었다. 거의 1년 이상 비어 있던 공간을 건물주가 2층으로 다시 리모델링을 했다.

6개월 전부터 공사를 하더니, 새로운 카페가 오픈했다. 솔직히 나를 포함한 주민들은 저 새로운 카페가 정말 잘 될 수 있을까 의문을 갖고 있었다. 워낙 과거에도 카페, 커피숍이 있던 자리이고 장사가 안되어서 문을 닫은 사례를 많이 보았기 때문이다.

새로운 카페는 내부 인테리어가 매우 밝아 밖에서도 잘 보이고, 외부에도 테이크아웃 고객을 위해 앉을 수 있는 자리를 예쁘게 만들어 놓았다. 예전 매장에 비해 고객의 편의를 위해 다양한 시설을 배치한 모습이 인상적이었다. 예전 카페에 비해 가격대도 다양해서 고객이 선택할 수 있는 메뉴도 많았다. 오픈한 지 약 3개월 정도 됐는데, 고객도 꾸준히 유입되고, 카페 내부 환경이 쾌적해 카페에 머무는 사람들도 점점 많아지고 있었다. 그전의 커피숍과는 달리 고객에게 사랑받는 카페로 오랫동안 운영될 것으로 보였다.

이처럼 같은 장소에 같은 업종인 카페를 운영하는 데 결과는 전혀 다른 경우를 볼 수 있다. 새로운 카페 사장님은 상권과 고객에 대해 많은 조사와 분석을 했고, 비교적 성공적으로 안착을 했다고 볼 수 있다.

가격, 메뉴, 인테리어 등 고객을 유입시킬 수 있는 전략이 중요하다. 지역과 입지, 상권을 철저히 분석해서 내가 어떤 콘셉트로 어떤 전략으로 창업하고 운영할지 전략적인 계획이 필요하다.

선입견을 버려라

동네 약국과 한의원, 병원은 불특정 다수의 다양한 고객들이 입점하는 곳이다. 중·장년층에서 젊은 고객까지 공통적인 이유와 명확한 목적이 있어 방문한다. 최근에 주택가와 아파트 근처에 있는 약국을 방문한 적이 있다. 약국 원장님과 이야기를 나누면서 소셜미디어 홍보를 최근에 시작했다는 이야기를 하셨다. 60대 초반의 원장님에게 그 이유를 물어보니, 약국 근처에 대학교가 있는데, 최근에 대학생의 방문이 많아져서 젊은 고객과 소통하기 위해 온라인 홍보 필요성을 느끼셨다고 하셨다. 아주 좋은 아이디어라고 말씀을 드린 기억이 있다.

다른 사례로 전통시장 근처에 한의원 오픈 계획을 가지고 있는 원장님을 만난 적이 있다. 젊은 원장님이셨는데 고객 유입을 증가시키기 위해 다양한 온라인 홍보 마케팅을 준비하고 계셨다.

우리는 흔히 선입견을 가지고 사업과 아이템을 보기도 한다. 병원, 한의원, 약국은 고객이 알아서 찾아올 거라는 착각을 한다. 하지만 이런 의료 기관들도 점점 많아지면서 경쟁이 치열해지고 매출이 감소하고, 폐업하는 일도 있다. 단순히 과거의 고정관념으로 창업하고 운영한다면 실패할 확률이 매우 높다고 볼 수 있다. 의료 서비스도 다양해지고 정보 검색을 통해 고객이 선택할 수 있는 선택지가 많아지고 있다. 의료 관련 창업이 항상 수익을 낳은 황금알이 아닐 수 있다는 것을 명심해야 한다.

내 의료 서비스의 강점과 차별화를 홍보해야 한다. 의료 정보를 쉽게 접할 수 있게 광고 마케팅을 효율적으로 관리하는 것이 중요하다.

제6장 누구를 보고 있나요

당신의 충성 고객은 누구인가요

 인터넷 쇼핑몰을 오랫동안 운영한 대표님에게 고객 성향을 문의할 기회가 있었다. 주로 온라인에서만 판매하기 때문에 대표님이 고객의 성향을 정확히 아실까? 하는 의문이 있었다. 대표님은 본인의 고객은 주로 30~50대로 전업주부가 많고, 스타일과 패션 감각을 유지하고 싶은 고객이라고 알려주셨다.

 대표님은 본인의 고객을 정확히 알고 있었고, 결과적으로 매출도 안정적으로 유지하고 계셨다. 고객의 성향과 추구하는 스타일, 디자인을 정확하게 알고 있기 때문에 제품 선정, 판매가 비교적 수월하다고 할 수 있다. 또한 마케팅 홍보도 여러 채널을 운영하기보다는 고객이 가장 많이 활용하는 채널 중심으로 운영해서 효율성이 매우 높은 편이었다.

 육회와 보쌈을 전문적으로 제공하는 사장님은 시간대에 따라 고객 성향이 다르다. 메뉴 특성상, 중·장년층은 오후 4시부터 6시에 방문이 많고, 젊은 고객층은 저녁 7시 이후에 매장 방문이 많다고 한다. 따라서 시간대와 고객층에 따라 메뉴 선정이나 제공하는 서비스도 일부 차별화해서 제공하고 있다고 했다. 고객 만족도도 높고, 재방문하는 비율도 다른 매장에 비해 높은 편이라고 했다.

신규 고객을 유치하기는 매우 어려워지고 있다. 특히 고객들은 시간과 노력을 많이 들이기보다는 내가 익숙한 제품, 서비스를 습관적으로 구매하는 성향이 있다. 고객의 습관과 익숙함을 변화시키기 위해서는 많은 노력이 필요하다.

따라서 기존 고객을 충성 고객과 단골 고객으로 만드는 것이 중요하다. 고객을 더 잘 이해하려면 고객을 잘 관찰해서 무엇에 흥미와 관심이 있는지 살펴보아야 한다. 고객에 대한 이해도가 높아야, 사업도 잘 유지할 수 있다.

고객을 어디까지 아시나요

매장을 운영하다가 온라인으로만 판매 채널을 바꾼 액세서리 브랜드의 경우, 사장님이 생각하는 고객 타깃, 연령층, 성향이 실질적으로 제품을 구매하는 고객과 많은 차이가 있었다.

20~30대 후반 여성을 목표로 홍보 마케팅을 적극적으로 했는데, 막상 구매하는 연령층은 30~50대의 여성 고객이었다. 온라인 판매 사이트 데이터를 보고, 홍보 마케팅 방향성을 변경하고 메시지도 핵심 고객에 맞추어 수정하는 것을 제안한 기억이 있다.

우리는 흔히 고객을 잘 알고 있다는 착각을 한다. 또한 우리 제품을 사는 이유는 특정 목적이나 기능이 있기 때문이라고 생각하기 쉽다. 물론 기능이나 특정 목적으로 구매하는 경우도 있지만, 그렇지 않은 사례도 많다. 제품 검색을 하다가 끌리는 홍보 문구나 마케팅 메시지, 기존 구매자의 리뷰나 후기에 의해서 구매하는 일도 많다. 특정 키워드나 메시지로 인해 구매하기도 한다. 내 경험으로도 항상 합리적인 소비나 구매가 이루어지지는 않는다. 매장에서 쇼핑 중에 계획 없이 구매하는 것처럼 온라인에서도 충동구매 성향이 있다.

내가 기능이나 디자인, 품질면에서 다른 경쟁사에 비해 차별화되지 않았다면, 고객의 감성적인 부분을 끌어내어 홍보 방향을 잡는 것도 하나의 아이디어가 될 수 있다. 위에서 언급한 대표님도 기능과 품질 외에도 스타일, 편리성, 컬러 등 다양한 포인트로 고객에게 어필하는 것으로 홍보 방향을 변경했다.

마케팅 방향성과 메시지 변화 후에 판매 데이터를 확인해 보니, 매출과 고객 유입의 증가라는 좋은 결과를 얻게 되었다. 고객의 구매 이유와 필요성이라는 기능적인 면과 함께 감성적인 요인을 반영해서 키워드와 메시지를 구성하는 것이 필요하다. 온라인으로 판매하는 경우, 고객의 성향과 취향을 발견할 수 있는 데이터를 얻을 수 있다. 데이터를 활용해서 좀 더 고객에게 적합한 제품을 제공하기 바란다.

당신의 제품,
고객에게 과연 매력적인가요

보석류, 액세서리, 장신구는 여성들이 많이 구매하는 아이템이다. 코로나를 거치면서 온라인 구매가 일상화되고 있어 이런 아이템도 온라인상에서 판매가 많이 되고 있다. 나 또한 그전에는 의류, 액세서리, 보석류 구매는 인터넷에서 하지 않았는데, 지금은 시간과 노력을 절약하기 위해 구매를 자주 하고 있다.

내가 만난 보석, 액세서리를 판매하는 사장님은 제품의 완성도는 높으나, 온라인 판매 사이트가 고객에게 크게 어필하지 못했다. 먼저 사장님께 제품을 판매하기 위해 고객이 우리 제품에서 무엇을 원하는지 물었다. 사장님은 선뜻 답을 하지 못했다. 아마도 고객이 원하는 것은 '내가 착용했을 때 얼마나 멋져 보일까?'라는 생각과 함께 '비싼 액세서리는 아니지만 트렌디하고 스타일이 좋았으면 좋겠다'일 것이다.

사장님의 제품은 사진과 영상으로 제품의 특징을 전혀 강조해 주지 못했다. 아이템 특성상 감성적인 목적으로 구매하는 고객에게 크게 어필하지 못했다.

세계적으로 유명한 명품 브랜드가 사진, 영상, 메시지에 많은 돈을 투자하는 이유는, 고객에게 이런 만족감을 주기 위함이다. 명품 브랜드는 브랜드 인지도가 높음에도 고객에게 제품을 수준 높고 차원이 다른 시각, 청각적 정보를 통해 제공하고 있다.

우리가 제품을 판매하고 홍보할 때, 고객이 원하는 바를 정확히 알고 있어야 한다. 사장님께 제품이 좀 더 매력적으로 보여야 고객의 관심을 끌 수 있을 거라고 조언했다. 특히, 조명, 컬러, 각도 등 제품의 특성을 잘 살릴 수 있는 촬영이 선행되어야 한다고 제안했다.

특별한 고객을 확보하라

건강을 생각하는 소비자가 많아지고 있다. 많이 먹는 것보다 건강하게 즐겁게 먹는 것이 좋다는 인식이 있어 맛과 영양을 고려한 건강식이 트렌드의 하나로 자리 잡고 있다.

건강한 자연식 밥상을 제공하는 매장을 방문한 적이 있다. 여러 가지 다양한 음식들을 내는 것이 아닌 재료 본연의 맛을 살린 건강식 밥상을 주메뉴로 제공하고 있었다.

사장님이 예전에 건강이 안 좋아 자연 재료와 건강한 음식에 대한 연구를 많이 하게 되었다고 한다. 건강밥상을 통해 건강을 회복하고 즐겨 먹다 보니 좋아하게 되었다고 했다. 건강하고 자연 본연의 맛을 지닌 자연식 밥상을 다른 사람들과 공유하고자 건강밥상 음식점을 열게 되었다고 했다. 자연식 밥상을 중·장년층뿐만 아니라 젊은 고객, 남성 고객들도 선호해서 매장 운영은 비교적 잘 되고 있다고 했다. 한번 방문해서 건강한 밥상을 먹어본 고객은, 가족, 친구, 동료와 재방문하는 사례도 많다고 했다.

요즘에는 스님들이 만드는 사찰음식도 이런 이유에서 일반인에게 인기를 끌고 있다. 재료 본연의 맛을 살리면서 건강하게 먹는 것이 환경에도 도움이 되고, 건강도 챙기는 데 좋기 때문이다.

세계적인 현상인 비건 트렌드도 건강과 환경을 관심 있게 생각하는 고객들이 있어 많은 인기를 끌고 있다. 앞으로도 이런 현상은 계속 지속될 것으로 보인다. 내가 다양한 고객을 만족시킬 수 없다면, 미래 성장 아이템으로 고객을 꾸준히 유지할 수 있는 업종과 아이템을 선정하는 것이 중요하다.

고객을 팬으로

지난번 굉장히 유쾌하고 성실한 플랜트숍 사장님을 만난 적이 있다. 플랜트숍 특성상 출장 등으로 매장을 비우는 경우도 많고 일이 많이 몰릴 때는 너무 바쁘다고 하셨다. 그래서 그럴 땐 어떻게 매장 운영을 하시는지 여쭤봤더니, 바쁘면 고객들이 알아서 정리도 해주고 판매도 해준다고 말씀하셨다. 단순히 고객과 사장님의 관계가 아닌 고객을 친구, 가족처럼 대하다 보니, 자연스럽게 좋은 관계를 맺게 되셨다는 경험을 들려주셨다.

의류 전문 매장을 하는 사장님의 매장은 마치 동네 사랑방 같이 운영되고 있었다. 인근에 다른 의류 매장이 있었는데, 유독 사장님 매장만 많은 고객이 있었다. 매장을 방문할 때마다 많은 고객이 있었고 고객이 머무는 시간도 길다 보니, 의류 구매로 자연스럽게 연결되었다. 옷 판매 외에도 정보교류, 동네 소식 등 다양한 소통이 이루어진다는 느낌을 받았다. 가수나 연예인을 좋아할 경우, 팬이 되는 것처럼 사장님을 신뢰하는 팬 역할을 고객들이 해주고 있었다.

이처럼 고객이 내 사업을 지지해 주고, 내 제품과 서비스에 신뢰를 보낸다면 자연스럽게 팬이 될 수 있다. 우리가 유명 연예인이나 가수들의 팬을 자처하는 것도 그들에게 무한한 신뢰와 사랑을 보내기 때문이다.

물론 고객을 팬으로 확보하는 데는 시간과 노력이 많이 필요하다. 고객의 신뢰와 믿음, 원활한 소통, 지속적인 관계가 필요하다. 이런 밀접한 관계를 지속하다 보면, 한번 맺은 고객은 영원한 팬이 되어 내 사업에 큰 도움이 된다. 고객 중에 전폭적인 신뢰와 믿음을 보내는 내 팬은 어느 정도 될까, 한 번쯤 생각해 보기 바란다.

가격과 서비스는 고객의 눈높이에 맞게

대학가 근처에서 꽃집을 운영하시는 사장님은 고객의 눈높이에 적합한 마케팅을 하고 있었다. 대학가 근처에서 매장을 운영하다 보니, 주머니 사정이 넉넉지 않은 대학생이나 직장인 초년생이 많았다. 여자친구, 아내, 혹은 특별한 날을 기념하기 위해 꽃을 사고 싶으나, 꽃 가격이 부담스러워 선뜻 방문하기 쉽지 않았다. 고객이 주저하는 경우를 많이 본 사장님은 고객의 주머니 사정에 맞는 꽃을 제공하는 것이 좋겠다고 생각하게 되었다. 플라워 특성상 시장 상황과 수급에 따라 일부 가격이 조정되는 경우가 있어 가능하다고 판단되었다.

고객의 구매 목적과 원하는 꽃의 종류를 듣고, 고객의 예산을 고려한 제품을 제안하고 있었다. 물론 일부 손해를 볼 때도 있지만, 고객이 사장님의 서비스에 감사함을 느껴 다시 방문하는 일도 많다고 하니 사장님의 노력이 좋은 결과물로 돌아와 기분이 좋았다.

사업을 하다 보면, 노력에 비해 수익이 안 나는 경우도 종종 있다. TV에서 국수를 파는 할머니 사장님이 나왔는데 정말 너무 저렴한 가격으로 판매하고 계셨다. 가격이 너무 싸서 재료비 충당은 되실까? 하는 걱정이 되었다. 40년 넘게 한 곳에서 운영한 사장님은 꾸준히 방문해 주는 고객들이 있어 운영에는 문제가 없다고 하셨다. 가끔 가격에 비해 음식의 질이 만족스럽지 못할 때도 있는데, 이렇게 가격에 비해 너무 만족스러운 식사를 할 경우, 계속 방문하고 싶은 생각이 든다. 아마도 할머니 사장님의 매장은 그런 매장이 아닐까 싶다.

고객에게 한 마디 더 말 걸기

내가 사는 곳에 정육점이 두 곳이 있다. 한 곳은 오픈한 지 약 1년이 되었고, 다른 곳은 약 3년 정도 된 정육점이었다. 최근에 3년 된 정육점이 문을 닫았다. 그런데 1년밖에 안 된 정육점은 고객도 많고, 매출도 계속 오르고 있어 비교적 안정적으로 사업을 운영하고 있다. 두 정육점의 사업 운영 방식은 각기 다를 수 있지만, 고객 입장에서 두 정육점의 사업 성패를 가른 것이 있었다.

둘 다 비슷한 나이에 청년들이 운영하는 매장인데, 한 곳은 고객에게 항상 '필요한 것은 없는지', '더 필요한 고기는 없는지', '고기 잡내를 없애는 허브가 필요하지 않은지', '어떤 식으로 조리하는지' 등 고객과 계속 소통하고 대화를 나누려고 노력했다.

하지만 문을 닫은 정육점의 경우, 매번 방문할 때마다 사장님이 무뚝뚝하고, 잘 웃지 않으며, 고객에게 고기의 용도나 조리법에 대해 전혀 물어보지 않았던 경험이 있다.

두 군데 정육점을 모두 이용했던 나도, 처음에는 문을 닫은 3년 된 정육점을 이용했지만, 친절하고 쾌활해서 기분을 좋게 하는 오픈한 지 1년 된 정육점을 더 많이 찾게 되었다. 무언가 고객을 배려한다는 느낌을 받았다. 결론적으로 3년 된 정육점은 계속 고객 유입이 줄면서 매출이 감소해 결국 매장 문을 닫게 되었다.

고객에게 불편한 점은 없는지, 더 필요한 제품은 없는지를 질문하고 소통하려는 자세가 중요하다. 그것이 고객이 그 매장을 계속 찾게 되는 이유가 되는 것이다.

다양성을 고려하라

산업의 발달과 새로운 기술로 인해 사양 산업이 늘고 있다. 기술의 발달로 인해 사회적, 경제적, 구조적 변화가 생기고, 그에 따라 사업의 부침이 심한 분야도 많아지고 있다.

더웠던 여름에 방문했던, 충무로에서 인쇄 사업을 하는 대표님과의 대화가 기억난다. 과거에는 인쇄물에 대한 수요가 많아 산업 전체가 성장하고 본인의 사업도 꽤 잘 되었는데, 이제는 인쇄업이 침체되는 산업의 하나가 되었다고 하셨다. 생각해 보니, 달력과 다이어리 등 과거에 많이 쓰던 아이템을 나 또한 더 이상 찾지 않는다는 것을 깨닫게 되었다. 인터넷과 다양한 기기를 사용하기 때문에 인쇄물에 대한 수요가 점점 줄고 있어, 사업에 영향을 미치고 있었다.

다른 사례로 폐백 음식을 주로 만드는 사장님도 비슷한 이야기를 하셨다. 과거에 비해 결혼 비율이 줄고, 출산율이 감소하다 보니, 행사나 예식에 사용하는 전통 음식에 대한 수요가 줄고 있어 매장 운영이 힘들다고 했다. 이런 사회, 경제적 요인들은 개인이 바꿀 수는 없다. 단, 이런 외부적 요인을 어떻게 타개하느냐가 관건이라고 할 수 있다.

인쇄물은 예전에는 대기업 위주의 납품을 하고 주문을 받았다면 최근에는 창업한 1인기업이나 소규모 매장을 중심으로 마케팅하고 온라인을 통해 주문 상담을 받을 수 있다. 대량이 아닌 맞춤 방식의 시스템으로 변화를 꾀할 수 있다.

폐백 음식도 국내 고객이 아닌 관광객이나 외국인을 위한 특별한 음식을 제공하는 것도 고객을 다양화하는 방법이다. 매장이 위치한 곳이 시내 전통시장이기 때문에 충분히 가능성이 있다. 과거의 고객을 벗어나, 다양한 고객으로의 접근이 필요하다.

에필로그

초봄부터 겨울까지 구석구석 지역의 여러 곳을 방문하고 다양한 분야에 계시는 대표님들을 만나는 기회를 갖게 되었다. 내가 처음 방문하는 지역과 상권도 있었고, 전혀 경험하지 못한 업종과 아이템도 있었다. 내가 경험한 분야는 아니지만, 어떻게든 문제에 대한 해결점을 찾기 위해 고민하고 공부하고 준비한 시간도 있었다.

내가 배운 이론과 함께 여러 가지 내부, 외부 요인을 분석하고 결론을 도출하는 작업이 쉽지는 않았지만, 무척 의미 있는 일이었다. 트렌드와 고객의 라이프 스타일 변화로 새로운 아이템과 비즈니스 모델을 알게 되어 좋은 시간이었다. 돌아보니, 우리 주위에 모든 것이 비즈니스이고, 사업 모델이고, 삶이라는 생각이 들었다.

단순히 컨설팅, 멘토링을 통해 비즈니스를 진단하고 분석하는 게 아니라, 우리의 삶과 사람, 환경을 돌아보는 뜻깊은 시간을 갖는 좋은 기회였다. 창업하는 이유나 사업체를 운영하는 목적은 모두 다르고, 현재 처한 상황도 다양하지만 모두 열심히 내가 처한 환경에서 각자의 삶을 살아간다는 공통점이 있었다.

어느 날, 출장을 마치고 기차역에 서 있는데, 해 질 녘 끝이 보이지 않는 철로가 눈에 들어왔다. 기차의 철로 또한 처음에는 그냥 길이었을 것이다. 사람들의 편의와 교통수단을 위해 철로의 역할이 필요했고, 수많은 사람을 실어 나르면서 그 역할을 책임감 있게 해내고 있다. 그 길, 철로처럼 규모에 상관없이, 누가 알아주지는 않지만, 세상에서 내 역할을 제대로 하는 것이 사업을 하는 대표님들이다.

무모할 수도 있지만 끊임없이 도전하려는 스타트업 대표님들, 새벽부터 밤늦게까지 골목상권을 묵묵히 지키는 사장님들이 있기에 세상이 좀 더 나아지고 있다. 모두 각자의 소망대로 성공하시기를 바란다. 끝이 보이지 않고 불확실한 미래이지만, 무언가 꾸준히 해내고 도전한다는 것은 멋진 일이고 후회 없는 삶이다.

저자소개

 저자는 창업, 마케팅 전문 컨설팅 회사 대표와 공공기관 임원으로 활동하고 있다. 글로벌 외국계 기업, 마케팅 전문회사에서 다양한 브랜드의 마케팅, 브랜딩을 담당했다. 현재 중소기업, 소상공인, 자영업, 예비창업자, 스타트업을 위해 경영, 마케팅, 브랜드 컨설팅을 하고 있다.

커넥트 컨설팅 대표
(재)신용보증재단 서울시 자영업센터 전문위원
대구창조경제혁신센터 전문멘토
한국방송통신전파진흥원 사업관리위원회 위원
(재)장애인기업종합지원센터 창업마케팅 전문위원 및 강사
소상공인시장진흥공단 컨설턴트

저서
『창업성공전략 30가지 문답』 부크크, 2023
『여성 창업가의 성공 시크릿』 부크크, 2022
『퍼스널 브랜드 메이커』 부크크, 2020